Contents

KU-685-386

Introduction

This book offers a very full coverage of the oral content prescribed by the GCSE boards. The first half deals with topics suitable for role-play in the service areas, e.g. shops, garage, hotel, post office. The second half covers those topics which lend themselves to everyday social conversation, e.g. personal details, jobs, interests, holidays. The topic book sets out numerous examples of ways to ask questions and make statements. Appropriate vocabulary is also included in many of the topics.

This topic book can act as a reference guide for the *Duett GCSE German Worksheets*, written by the same author.

Some common questions

Are you sure?	Sind Sie sicher?
At what time?	Um wieviel Uhr?
Can you tell me if, how, when, where, who . . . ?	Können Sie mir sagen, ob, wie, wann, wo, wer . . . ?
Describe it / them.	Beschreib / Beschreiben Sie ihn-sie-es / sie.
Do you know if . . . ?	Weisst du / Wissen Sie, ob . . . ?
Do you understand?	Verstehst du / Verstehen Sie?
How?	Wie?
How do you get to . . . ?	Wie kommt man zu / nach . . . ? (e.g. zur Kirche / nach Frankfurt)
How far is it?	Wie weit ist es?
How long does it take to get to . . . ?	Wie lange braucht man, um . . . zu erreichen?
How long have you lived here?	Seit wann wohnen Sie da?
How long is . . . ? (duration)	Wie lange dauert der Film, die Reise, etc?
How many?	Wieviele?
How much?	Wieviel?
How often?	Wie oft?
Is it allowed?	Ist es erlaubt?
Is there / Was there?	Gibt es / Gab es . . . ?
Is this yours?	Gehört das dir / Ihnen?
Is tomorrow all right?	Ist morgen passend?
Really?	Wirklich?
Shall we go there?	Sollen wir hingehen?
Tell me about	Erzähl / Erzählen Sie mir von . . .
What can one do?	Was kann man tun?
What colour is . . . ?	Welche Farbe hat . . . ?
What do you do for a job?	Was sind Sie von Beruf?
What does he look like?	Wie sieht er aus?
What does this mean?	Was bedeutet das?
What do you think of . . . ?	Was denken Sie von . . . ?
What do you think of it?	Was denkst du davon?
What has happened?	Was ist passiert?
What is to be done? / What must we do?	Was muss man machen?
What kind of . . . ?	Was für . . . ? (e.g. Was für ein Wagen ist es?)

What's the matter?	**Was ist los?**
What's the weather like?	**Wie ist das Wetter?**
Where are you going? Where do you go?	**Wohin gehst du / gehen Sie?**
Where do you come from?	**Woher kommst du / kommen Sie?**
Where is . . . situated?	**Wo befindet sich . . . ?**
Which one?	**Welcher / Welche / Welches?**
Why?	**Warum?**
Will you explain / repeat?	**Willst du / Wollen Sie erklären / wiederholen?**
Will you speak more slowly?	**Willst du langsamer sprechen?**
With whom?	**Mit wem?**
Would you like to come to . . . ?	**Möchten Sie gern zu . . . kommen?**

Useful expressions

Being polite, complimentary and considerate to people

Don't mention it!	Nicht der Rede wert!
Excuse me!	Entschuldigen Sie!
Good health!	Auf Ihre Gesundheit!
Good luck!	Viel Glück!
Have a good meal!	Guten Appetit!
I don't mind.	Das ist mir egal.
It doesn't matter.	(Das) macht nichts.
See you soon.	Bis bald.
Se you tomorrow.	Bis morgen.
Sorry! (pity)	(Es) tut mir leid!
Thank you very much for....	Danke sehr für....
What's the matter?	Was ist los?
You're right.	Du hast recht.
You're very kind.	Das ist sehr nett von dir / Ihnen.

Exclamations

Damn!	Donnerwetter!
Good Heavens!	Du lieber Himmel!
Good idea!	Gute Idee!
Great!	Prima!
Help!	Hilfe!
How awful!	Wie schrecklich!
How nice!	Wie nett!
I've had enough!	Mir reicht's!
Mind out!	Vorsicht!
O dear!	O je! (Ach du meine Güte!)
That's better.	Das ist besser.
What a pity!	Wie schade!
What a surprise!	Was für eine Überraschung!

Other expressions

I agree.	Stimmt.
I don't know.	Ich weiss nicht.
I don't understand.	Ich verstehe nicht.
I'd prefer that.	Ich möchte das lieber.
I hope so.	Hoffentlich.
I know nothing about it.	Ich weiss nichts davon.
I like it very much.	Das gefällt mir sehr.
I'm not sure.	Ich bin nicht sicher.
I'm sure of it.	Ich bin ganz sicher.
It depends.	Das hängt davon ab.
I think so.	Ich glaube schon.
It's allowed / forbidden.	Es ist erlaubt / verboten.
It's impossible to say.	Das kann ich nicht sagen.
It's not true.	Es ist nicht wahr.
It's not worth it.	Es lohnt sich nicht der Mühe.
Not at all.	Gar nicht.
Surely not!	Das kann doch nicht stimmen.
That's convenient.	Das ist passend.
Without doubt.	Ohne Zweifel.
You shouldn't do that.	Du solltest das nicht.

Expressions of time

on Monday / Tuesday, etc.	am Montag / am Dienstag usw.
on Mondays / Tuesdays, etc.	montags / dienstags usw.

last Friday	letzten Freitag
last week	letzte Woche
last month	letzten Monat
last year	letztes Jahr
last summer	letzten Sommer
next Monday	nächsten Montag
next week	nächste Woche
next month	nächsten Monat
next year	nächtes Jahr
next winter	nächsten Winter
in spring	im Frühling
in summer	im Sommer
in autumn	im Herbst
in winter	im Winter
in the morning	am Morgen
in the afternoon	am Nachmittag
in the evening	am Abend
in the mornings	morgens
in the afternoons	nachmittags
in the evenings	abends
at night	in der Nacht
at nights	nachts
at 8 a.m.	um 8 Uhr morgens (vormittags)
at 3 p.m.	um 3 Uhr nachmittags
at 10 p.m.	um 10 Uhr abends

this	heute morgen / heute nachmittag / heute abend / diese Woche / dieses Jahr

yesterday	gestern
tomorrow	morgen
yesterday morning / evening	gestern morgen / abend
tomorrow morning	morgen früh
tomorrow afternoon / evening	morgen nachmittag / abend

about midday	**gegen Mittag**
ago	**vor** (+ dative) (e.g. **vor einem Jahr**)
all day	**den ganzen Tag**
as soon as possible	**so bald wie möglich**
at the beginning of June	**Anfang Juni**
at Christmas	**zu Weihnachten**
at Easter	**zu Ostern**
before Sunday	**vor Sonntag**
day before yesterday	**vorgestern**
during	**während** (+ genitive)
early / earlier	**früh / früher**
ever	**jemals**
every day / week / year	**jeden Tag / jede Woche / jedes Jahr**
every 2 hours	**alle 2 Stunden**
for a long time	**lange**
from Tuesday on	**von Dienstag an**
from time to time	**von Zeit zu Zeit**
How long?	**Wie lange?**
How often?	**Wie oft?**
last night	**gestern abend**
never	**nie / niemals**
often	**oft**
sometimes	**manchmal**
soon	**bald**
until	**bis**
usually	**gewöhnlich**

Expressions of place

near	in der Nähe von	*dem* Bahnhof / Museum /
next to	neben	Schloss / Schwimmbad /
to the left of	links von	usw.
to the right of	rechts von	(masculine or neuter nouns)
1 km from	ein Kilometer von	
in front of	vor	*der* Kirche / Haltestelle /
(stating position)		Bank / Brücke / usw.
behind	hinter	(feminine nouns)
(stating position)		
between	zwischen	
(stating position)		

opposite   gegenüber (placed after noun)
    e.g. **dem Postamt gegenüber**
        der Kirche gegenüber

at the end of the road / street	**am Ende der Strasse**
at the corner of the street	**an der Strassenecke**
in the town centre	**in der Stadtmitte**
around the corner	**um die Ecke**
on the other side of the river / road	**an der anderen Seite des Flusses /**
	der Strasse
at the traffic-lights	**an der Verkehrsampel**
at the crossroads	**an der Strassenkreuzung**
at the roundabout	**am Kreisverkehr**
at the top / bottom of the hill	**am Gipfel / am Fuss des Hügels / Berges**

Settings for role-play

> *Shopping* (food, drink, clothes, payment)

Ask for items and quantities

- Have you . . . ?   **Haben Sie . . . ?**

- I would like . . .   **Ich möchte gern / hätte gern . . .**

Prices

- Ask how much something is per kilo / per litre / each.
  Was kostet ein Kilo Birnen?
  **   ein Liter Cola?**
  Was kosten die Melonen das Stück?

- Ask if something is reduced.   **Ist das ermässigt?**

- Say an item is good / reasonable / too dear / not fresh.
  Die Butter ist gut / billig / zu teuer / nicht frisch.

Clothes

- Ask for a garment in a certain colour.
  Haben Sie einen Pullover in Grün / in Braun / in Hellblau (in light blue) **/ in Dunkelgrün** (dark green) **/ bunt** (coloured)**?**

- Ask what colours are in stock.
  In welchen Farben führen Sie Hosen?

- Say you want to see an item in a certain material.

Ich möchte gern	Hemden	aus Nylon sehen.
	Blusen	aus Baumwolle (cotton) sehen.
	Pullover	aus Wolle (wool) sehen.
	Regenmäntel	aus Plastik sehen.
	Schuhe	aus Leder (leather) sehen.

- State size.   **Ich habe Grösse 38.**

- Ask if you can try on garment.
  Kann ich die Hose anprobieren?

Comment on clothes

● Too . . .

Dieses Kleid ist zu gross.
Dieser Rock ist zu klein.
Diese Hose ist zu lang. (long)
Diese Jacke ist zu kurz. (short)
Dieser Pullover ist zu dick. (thick)
Dieser Mantel ist zu leicht. (light in weight)
Diese Bluse ist zu dunkel. (dark)

● Ask for larger / smaller size.

Haben Sie eine Nummer grösser / kleiner?

● State the garment (e.g. dress) fits.   **Das Kleid passt gut.**

● Liking garment and accepting it.

Diese Schuhe sind schön. *Die* **nehme ich.** (feminine)
Dieser Rock gefällt mir sehr. *Den* **nehme ich.** (masculine)
Ich habe dieses Hemd gern. *Das* **nehme ich.** (neuter)

VOCABULARY (very common items not given)

Food – Das Essen   Drinks – Getränke

beans	**Bohnen**	mushrooms	**Pilze**
beef	**Rindfleisch** *n*	oil	**Öl** *n*
beer	**Bier** *n*	onions	**Zwiebeln**
brandy	**Branntwein** *m*	peach	**Pfirsich** *m* (-e)
cabbage	**Kohl** *m*	pears	**Birnen**
cake	**Kuchen** *m* (-)	peas	**Erbsen**
(piece of)	**ein Stück** *n*	pineapple	**Ananas** *f*
carrots	**Karotten**	pizza	**Pizza** *f* (-s)
cherries	**Kirschen**	plums	**Pflaumen**
chicken	**Huhn** *n*	raspberries	**Himbeeren**
cream	**Sahne** *f*	rice	**Reis** *m*
cucumber	**Gurke** *f*	roll	**Brötchen** *n* (-)
eggs	**Eier**	salt	**Salz** *n*
grapes	**Trauben**	sardines	**Sardinen**
lemon	**Zitrone** *f*	sausage	**Wurst** *f* (-̈e)
loaf	**Brot** *n* (-e)	soup	**Suppe** *f*
meat	**Fleisch** *n*	strawberries	**Erdbeeren**
melon	**Melone** *f*	tea	**Tee** *m*
mineral water	**Mineralwasser** *n*	yoghurt	**Joghurt** *m*

m = masculine *f* = feminine *n* = neuter; plural forms in brackets

- Dislike / preferences / like best

dislike	Ich habe das nicht gern.
preferences	Ich habe lieber diese Bluse.
like best	Ich habe jenes Kleid am liebsten.

Payment

- Ask where to pay. **Wo kann ich bezahlen?**

- Ask if there is a cash-desk. **Gibt es hier eine Kasse?**

- Hand over money.
  DM7,40. Ist das richtig?
  Entschuldigung. Ich habe nur einen Hundertmarkschein.

- Say the change is correct.
  50 Pfennig zurück.
  Danke schön. Das stimmt.

VOCABULARY continued

Clothes – Kleider

anorak	Anorak m (-s)	shoes	Schuhe
blouse	Bluse f (-n)	socks	Socken
coat	Mantel m (-̈)	stockings	Strümpfe
gloves	Handschuhe	suit	Anzug m (-̈e)
jacket	Jacke f (-n)	swim-suit	Badeanzug m (-̈e)
jeans	Jeans (Plural)	tennis-shoes	Tennisschuhe
pullover	Pullover m (-)	tie	Schlips m (-e)
pyjamas	Schlafanzug m (-̈e)	tracksuit	Trainingsanzug m (-̈e)
raincoat	Regenmantel m (-̈)	trainers	Trainingsschuhe
shirt	Hemd n (-en)	trousers	Hose f (-n)
skirt	Rock m (-̈e)	T-shirt	T-shirt n (-s)

Quantities

kilo	ein Kilo	Birnen / Äpfel / Kartoffeln
½ kilo	ein halbes Kilo	Kirschen / Erdbeeren
pound	ein Pfund	Tomaten / Butter
300 g	300 Gramm	Käse / Schinken
packet	ein Päckchen	Kekse / Zigaretten
tin / can	eine Dose	Cola / Schlagsahne
box	eine Schachtel	Streichhölzer
bottle	eine Flasche	Wein / Bier
3 slices	3 Scheiben	Schinken / Rindfleisch
litre	ein Liter	Milch / Mineralwasser

- Say the change is wrong and ask for more.
  Das kann nicht ganz stimmen.
  Darf ich noch 20 Pfennig haben, bitte?

- Ask if you can pay by cheque.
  Darf ich mit Scheck bezahlen?

- Ask for a receipt.　　**Darf ich eine Quittung haben, bitte?**

SETTING 2

Shopping (department store, souvenirs, small items, repairs, cleaning, complaints)

General questions at the store

- Ask opening / closing time.　　**Wann öffnet / schliesst der Laden?**

- Ask where to buy something, and possible answers.
  Wo kann man Armbanduhren kaufen?
  In welcher Abteilung? (In which department?)
  Im Erdgeschoss. (On the ground floor.)
  Im ersten / zweiten Stock. (On the first / second floor.)

- Ask location of the lift / escalator / stairs.
  Wo ist der Lift / die Rolltreppe / die Treppe?

Ask the assistant:

- if an item is available.　　**Haben Sie . . . vorrätig?**

- if an item is sold there.　　**Verkaufen Sie . . . ?**

- if there's anything cheaper.　　**Haben Sie etwas Billigeres?**

- if you may see other articles.

Darf ich

different	**einen anderen Rechner** (masculine accusative) / **ein anderes Buch** (neuter) **sehen?**
larger / smaller	**eine grössere / kleinere Lampe** (feminine) **sehen?**
better	**einen besseren Fotoapparat** (masculine) **sehen?**
cheaper	**eine billigere Tasche** (feminine) / **ein billigeres Radio** (neuter) **sehen?**

N.B. Don't forget the accusative case, and adjective ending.

- the price of the largest / smallest / dearest item.

Was kostet | **der grösste Fotoapparat?**
die kleinste Armbanduhr?
das teureste Zelt?

N.B. Don't forget nominative adjective ending.

Plural **Was kosten die grössten Taschen?**

- which article is the dearest / cheapest / best.

Welcher Koffer ist der teureste? (masculine form)
Welche Landkarte ist die billigste? (feminine form)
Welches Parfum ist das beste? (neuter form)

- if you may listen to a record.

Darf ich diese (Schall)platte hören?

State which article you will have

- Say you'll have the cheaper / cheapest.

Ich nehme | **die billigere / billigste Halskette.** (feminine)
den billigeren / billigsten Koffer. (masculine)
das billigere / billigste Kleid. (neuter)

| this one | **Ich nehme diesen** (m) | **diese** (f) | **dieses** (n) | **diese** (pl). |
| that one | **jenen** | **jene** | **jenes** | **jene** |

Souvenirs

- Choose a present for someone.

Ich will ein Geschenk | **für meinen Vater / Bruder wählen.**
für meine Mutter / Schwester wählen.
für meine Eltern wählen.
für ein kleines Kind wählen.
für einen Freund / eine Freundin wählen.

- Look for something not too dear.
  Ich suche etwas nicht zu teuer.

- Ask the assistant what he / she recommends.
  Was können Sie mir als Geschenk empfehlen?

- Ask the assistant to wrap up the article.
  Wollen Sie, bitte, . . . einwickeln?

Repairs – cleaning

- Ask for a repair to be done.
  Wollen Sie, bitte, diese Uhr reparieren?
  Ich will diese Uhr reparieren lassen.

- Ask for something to be cleaned.
  Ich will dieses Kleid reinigen lassen.

VOCABULARY

air-mattress	**Luftmatratze** f	flowers	**Blumen**
alarm-clock	**Wecker** m (-)	frying-pan	**Bratpfanne** f (-n)
ball	**Ball** m (¨e)	glass	**Glas** n (¨er)
bracelet	**Armband** n (¨er)	gold chain	**Goldkette** f (-n)
brush	**Bürste** f (-n)	golf-club	**Golfschläger** m (-)
bucket	**Eimer** m (-)	handbag	**Handtasche** f (-n)
calculator	**Rechner** m (-)	handkerchief	**Taschentuch** n (¨er)
camera	**Fotoapparat** m (-e)	jewellery	**Schmuck** m
camp-bed	**Feldbett** n (-en)	knife	**Messer** n (-)
camping-stove	**Camping-**	lamp	**Lampe** f (-n)
	kocher m (-)	lifejacket	**Rettungs-**
candle	**Kerze** f (-n)		**gürtel** m (-)
cassette-	**Kassetten-**	lighter	**Taschenfeuerzeug**
recorder	**recorder** m		n (-e)
clock	**Uhr** f (-en)	lipstick	**Lippenstift** m (-e)
coffee-pot	**Kaffeekanne** f (-n)	magazine	**Zeitschrift** f (-en)
comb	**Kamm** m (¨e)	map	**Landkarte** f (-n)
computer	**Computer** m (-)	matches	**Streichhölzer**
corkscrew	**Korkzieher** m (-)	mirror	**Spiegel** m (-)
deckchair	**Liegestuhl** m (¨e)	necklace	**Halskette** f (-n)
doll	**Puppe** f (-n)	needles	**Nadeln**
envelopes	**Briefumschläge** m	perfume	**Parfüm** n
film		photo-album	**Fotoalbum** n (-s)
(colour print)	**Farbfilm** m (-e)	picture	**Bild** n (-er)
(slides)	**Dias** (n / pl)	plant	**Pflanze** f (-n)

- Ask when the article will be ready. **Wann ist er / sie / es fertig?**

- Say you need the article soon.
  Ich brauche bald den . . . die . . . das . . .

- There's no hurry. **Es eilt nicht.**

Complaints
- Ask if you may exchange an article.
  Darf ich diesen / diese / dieses . . . umtauschen?

- Wrong size / weight.
  Das ist zu gross / klein / lang / kurz.
  zu schwer (too heavy) / **zu leicht** (too light).

- Article not working well. **Dieser Transistor funktioniert nicht gut.**

- Article is broken / damaged.
  Diese Kassette ist gebrochen / beschädigt.

VOCABULARY continued

plaster	**Heftpflaster** n	sunglasses	**Sonnenbrille** f (-n)
postcard	**Postkarte** f (-n)	suntan-lotion	**Sonnenöl** n
poster	**Poster** n (-s)	tent	**Zelt** n (-e)
purse	**Portemonnaie** n (-s)	tobacco	**Tabak** m
racket	**Schläger** m (-)	toothbrush	**Zahnbürste** f (-n)
radio	**Radio** n (-s)	toothpaste	**Zahnpasta** f
razor	**Rasierapparat** m (-e)	torch	**Taschenlampe** f (-n)
		towel	**Handtuch** n (-̈er)
record	**(Schall)platte** f (-n)	toy	**Spielzeug** n (-e)
record-player	**Plattenspieler** m (-)	transistor	**Transistor** m (-s)
ring	**Ring** m (-e)	travel-bag	**Reisetasche** f (-n)
rucksack	**Rucksack** m (-̈e)	tray	**Brett** n (-er)
saucepan	**Kochtopf** m (-̈e)	umbrella	**Regenschirm** m (-e)
scissors	**Schere** f (-n)	vase	**Vase** f (-n)
Sellotape	**Tesafilm** m	video-cassette	**Videokassette** f (-n)
shampoo	**Shampoo** n	video game	**Videospiel** n (-e)
skis	**Skier**	video-recorder	**Videogerät** n (-e)
sleeping-bag	**Schlafsack** m (-̈e)	watch	**Armbanduhr** f (-en)
sponge	**Schwamm** m (-̈e)	(digital)	**Digitaluhr** f (-en)
spoon	**Löffel** m (-)	waterskis	**Wasserskier**
string	**Schnur** f	windsurfer	**Windsurfer** m (-)
suitcase	**Koffer** m (-)	writing-paper	**Schreibpapier** n

SETTING 3

Directions and finding one's way

Ask how to get somewhere
Wie komme ich zum Schloss / Museum / Bahnhof / Fluss?
          zur Bibliothek / Schule / in die Stadt?

Ask the best way to get somewhere
Wie komme ich am besten zum Dom?

Answers
- Turn left / right.   Gehen / Fahren Sie links / rechts.

- Take the first / second / third street.
  Nehmen Sie die erste Strasse.
              die zweite / dritte Strasse.

- Go straight on.   Gehen Sie / Fahren Sie geradeaus.

- Go past ...   Fahren Sie am (masculine / neuter) vorbei.
              an der (feminine) vorbei.

- Go as far as ....   Fahren Sie bis zum (masculine / neuter).
              bis zur (feminine).

- Go up / down street.   Gehen Sie die Strasse hinauf / hinunter.

- Cross the bridge / square / railway.
  Fahren Sie über die Brücke / den Platz / die Eisenbahn.

- Ask the name of a street.   Wie heisst die Strasse?

Ask where something is
  Wo ist / befindet sich das Museum?

Ask if there is something nearby
  Gibt es einen Parkplatz in der Nähe? (accusative case)
For possible answers, refer to 'Expressions of Place', on page 12.

Distances

- Is something nearby?   **Ist die Stadtmitte in der Nähe?**

- No, it's a long way.   **Nein, das ist weit von hier.**

- What's the distance?   **Wie weit ist das?**

- State the distance.   **Etwa** (about) **500 Meter: 2 Kilometer.**

The time it takes to get somewhere

- Ask how long it takes to get to a place.
  Wie lange brauche ich, um die Post zu erreichen?

- Ask how long it takes.   **Wie lange dauert es?**

- Ask how long the journey is.   **Wie lange dauert die Reise?**

- State the length of the journey.
  Die Reise dauert nur eine Stunde. (only an hour)

- Say you are in a hurry, and have to be at a place by a certain time.
  Ich habe Eile. Ich muss um sechs in Köln sein.

Means of transport

- Ask if one can get a bus / tram to a place.
  Kann man einen Bus / eine Strassenbahn zum Stadion nehmen?
  nach Königswinter

- Ask if one must change.   **Muss man umsteigen?**

- Tell someone to get the bus.   **Nehmen Sie den Bus.**

- Ask which bus / tram goes somewhere.
  Welcher Bus
  Welche Strassenbahn | **fährt zum Tierpark?**

- Ask if the bus goes direct.   **Fährt der Bus direkt hin?**

- Ask where to get off.   **Wo muss ich aussteigen?**

- Ask where one can park.   **Wo kann man parken?**

- It's forbidden to park here.   **Das Parken ist hier verboten.**

Lost on the road

- Say you are lost.   Ich habe mich verirrt.

- Ask the direction.   Welche Richtung muss ich nehmen?

- Ask where you are on the map.
Können Sie mir auf der Karte zeigen, wo ich bin?

- Say you'll accompany someone.
Ich will Sie (zur Brücke) begleiten.

VOCABULARY

bank	**Bank** f	police station	**Polizeirevier** n
bus station	**Busbahnhof** m	roadworks	**Strassenbauar-**
bus stop	**Bushaltestelle** f		**beiten** pl
car-park	**Parkplatz** m	roundabout	**Kreisverkehr** m
crossroads	**Strassenkreuzung** f	service-station	**Tankstelle** f
dance hall	**Tanzsaal** m	shopping	**Einkaufszentrum** n
fire station	**Feuerwehr** f	centre	
ice-rink	**Eisbahn** f	signpost	**Wegweiser** m
level-crossing	**Niveauübergang** m	stadium	**Stadion** n
library	**Bibliothek** f	subway	**Unterführung** f
museum	**Museum** n	swimming-pool	**Schwimmbad** n
pedestrian	**Fussgängerüber-**	traffic-lights	**Verkehrsampel** f
crossing	**weg** m	underground	**U-bahnhof** m
phone-box	**Telefonzelle** f	station	

`SETTING 4`

Road travel

Ask the garage assistant:

• for petrol and oil.

30 Liter Super / Normal, bitte.
Ich möchte gern Benzin, bitte. (petrol)
Volltanken, bitte. (Fill up.)
Ein Liter Öl. (oil)
Für DM50 Super. (50 marks' worth of super)

• to check various things.

Können Sie	**bitte mal das Öl nachsehen?** (oil)
	das Wasser nachsehen? (water)
	(mal) den Luftdruck prüfen? (tyres)
	(mal) die Batterie prüfen? (battery)

• to wash the car / to clean the windscreen.

Können Sie bitte den Wagen waschen?
Wollen Sie bitte die Windschutzscheibe putzen?

• to repair various things.

Können Sie bitte	**den Wagen**	**reparieren?**
	den Reifen (tyre)	
	den Scheinwerfer (headlight)	

• when the car will be ready.   **Wann ist der Wagen fertig?**

Breakdowns

• Say you have broken down and ask for assistance.

Mein Wagen hat eine Panne.
Können Sie einen Mechaniker schicken?

• State various car troubles.

something's not right	**(Die Batterie) ist nicht in Ordnung.**
run out of petrol	**Es fehlt mir an Benzin.**
puncture	**Ich habe eine Reifenpanne.**
car won't start	**Der Wagen springt nicht an.**
wipers not working	**Die Scheibenwischer funktionieren nicht.**
windscreen broken	**Die Windschutzscheibe ist gebrochen.**

- Ask where the nearest garage / service-station is.
  Wo ist die nächste Autowerkstatt / Tankstelle?

- State where you are parked. **Mein Wagen ist . . . geparkt.**

- Describe your vehicle.
make	**die Marke – Volkswagen.**
colour	**die Farbe. Das Auto ist rot / blau / grün / weiss.**
registration number	**die Autonummer**

- Ask how long you'll have to wait.
  Wie lange muss ich warten?

Facilities. Enquire about:
- car hire   **Kann man hier ein Auto mieten?**

- car wash   **Kann man das Auto waschen lassen?**

- buying drinks / refreshments / maps of the district.
  Kann man hier Getränke / Erfrischungen / Landkarten der Gegend kaufen?

- W.C. / drinks machine.
  Gibt es hier eine Toilette?
  einen Getränkeautomat?

Road conditions
- Ask about road conditions.
  Wie sind die Strassenverhältnisse?

- Ask if there is an alternative route.
  Gibt es eine Ausweichstrasse?

- Ask if there are roadworks.   **Gibt es Strassenbauarbeiten?**

- Ask which road is best.   **Was ist die beste Strasse?**

- Ask if there is much traffic on a certain road.
  Gibt es viel Verkehr auf dieser Strasse?

- Ask why there is a traffic-jam.
  Warum gibt es eine Verkehrsstockung?

Accidents

- Reporting an accident; ask to send ambulance.
  Es ist ein Unfall passiert.
  Können Sie einen Krankenwagen schicken?

- State the nature of the accident.

knocked into	**Ein Auto ist gegen einen Bus gefahren.**
collided	**Zwei Autos sind zusammengestossen.**
skidded	**Der Roller hat geschleudert.**
knocked over	**Das Auto hat einen Jungen überfahren.**
fell off	**Sie ist von ihrem Fahrrad heruntergefallen.**

- State cause of accident.

driving too fast	**Der Fahrer fuhr zu schnell.**
overtook	**Der Roller hat den Lastwagen überholt.**
turned corner fast	**Er ist schnell um die Ecke gekommen.**
didn't see lorry	**Sie hat den Lastwagen nicht gesehen.**

- Explain the injury.

injured	**Er ist verletzt.**
unconscious, lying on ground	**Sie ist bewusstlos; sie liegt auf dem Boden.**
hurt back / foot	**Der Rücken / Fuss tut mir / ihm / ihr weh.**
bleeding	**Das Bein blutet.**
may be serious	**Es ist vielleicht ernst.**
cut arm / hand	**Er hat sich am Arm / in die Hand geschnitten.**

- State you'll get help; phone for ambulance.
  Ich werde Hilfe bekommen.
  Ich werde ein Krankenwagen rufen.

Hitch-hiking

- Ask which direction the driver is going.
  In welche Richtung fahren Sie?

- Ask driver if he / she could take you somewhere.
  Können Sie mich nach Hannover mitnehmen, bitte?

- State where you could get out.
  Ich könnte am Bahnhof aussteigen.

- Offer a lift. **Wollen Sie einsteigen?**

Ask about nearest hotel / restaurant
Wo ist das nächste Hotel / Restaurant?

Ask distance to motorway
Wie weit ist die Autobahn?

Eating and drinking out

Going out for a meal
- Ask someone out for a meal.
  Willst du / Wollen Sie zu einem Restaurant mitkommen?

- Accept / refuse.
  Ja, gerne.
  Leider kann ich nicht.

- Ask 'hungry' or 'thirsty'?
  Hast du / Haben Sie Hunger / Durst?
  Ja, ich habe Hunger / Durst. Ich bin nicht hungrig / durstig.

- Ask where one can eat well / cheaply.
  Wo kann man gut / preiswert essen?

- Make arrangements to meet.
  Treffen wir uns (Let's meet) um 7 Uhr vor der Post.

Finding a table
- Ask the waiter / waitress for:
  a table for two.   Einen Tisch für zwei, bitte.
  the menu / wine list.   Darf ich die Speisekarte / Weinkarte haben?

- Ask friend where he / she would like to sit.
  Wo willst du sitzen?

- Suggest sitting. . . .   **Setzen wir uns. . . .**

in the corner	**in die Ecke**	outside	**draussen**
in the shade	**in den Schatten**	inside	**drinnen**
by the window	**an das Fenster.**		

Making your choice

- Ask friend what he / she is having.
  Was willst du essen?

- Ask him / her what he / she wants to eat / drink.
  Was willst du essen / trinken?

- Ask waiter / waitress what he / she recommends.
  Was empfehlen Sie?

- Ask for explanation of dish.
  Können Sie mir erklären, was das ist?

Giving your order

- Order for yourself.   **Brathuhn für mich, bitte.**

- Order for others.
  Zweimal Steak.
  Dreimal Tomatensuppe.
  Eine kleine Portion.

- Ask for something to be

well cooked	**durch**
medium	**medium**
rare	**englisch**

- Ask waiter / waitress to bring water / bread / ashtray.
  Wollen Sie mir Wasser / Brot / einen Aschenbecher bringen?

- Ask about phone / W.C. / juke-box / video games.
  Gibt es hier einen Fernsprecher / eine Toilette / eine Jukebox / Videospiele?

Complaints

- Wrong item.   **Ich habe das nicht bestellt.**

- Item forgotten.   **Sie haben die Erbsen vergessen.**

- Food undercooked. **Das Essen ist roh.**
  burnt **angebrannt**   cold **kalt**

- Dirty crockery and cutlery. **Das Glas ist schmutzig.**

plate	**der Teller**	cup	**die Tasse**
fork	**die Gabel**	spoon	**der Löffel**
knife	**das Messer**		

Paying

- Ask for the bill. **Darf ich die Rechnung haben, bitte?**

- Ask if service is included. **Ist die Bedienung inbegriffen?**

VOCABULARY (some common items on restaurant and café menus)

cake (piece of)	**ein Stück Torte**	roast beef	**Rindfleisch** n
chicken	**Hähnchen** n	roast chicken	**Brathuhn** n
chicken soup	**Hühnersuppe** f	roll	**Brötchen** n (-)
chips	**Pommes-Frites**	salmon	**Lachs** m
coffee (black)	**schwarzer Kaffee** m	sandwich	**belegtes Brot** n
(white)	**Kaffee mit Milch**	cheese	**Käsebrot** n (-e)
cutlet	**Kotelett** n (-e)	ham	**Schinkenbrot** n (-e)
egg	**Ei** n (-er)	sausage	**Wurst** f (ẅe)
fish	**Fisch** m	soup	**Suppe** f (-n)
fried egg	**Spiegelei** n	onion	**Zwiebelsuppe**
fruit juice	**Obstsaft** m	tomato	**Tomatensuppe**
hamburger	**Hamburger** m (-)	steak	**Steak** n
hot dog	**Hot dog** m	tea with lemon	**Tee** m **mit Zitrone**
ice-cream	**Eis** n	toast	**Toast** m
vanilla	**Vanilleeis**	turkey	**Truthahn** m
strawberry	**Erdbeereis**	veal	**Kalbfleisch** n
chocolate	**Schokoladeneis**	veal cutlet	**Kalbsschnitzel** n (-)
lemon	**Zitroneneis**	wine (red)	**Rotwein** m
lemonade	**Limonade** f	wine (white)	**Weisswein** m
omelette	**Omelett** n (-s)		
ham	**Omelett mit Schinken**	**Places to eat / drink**	
mushroom	**Omelett mit Champignons**	bar	**Bar** f (-s)
		café	**Café** (n) (-s)
orange juice	**Orangensaft** m	inn	**Wirtshaus** n (ẅer)
pork	**Schweinefleisch** n	restaurant	**Restaurant** n (-s)
rice	**Reis** m	snack-bar	**Imbiss Stube** f (-n)

- Say you want to pay all together / separately.
  Wir wollen zusammen / getrennt bezahlen.

- Check the bill.
  Es ist richtig.
  Es gibt einen Fehler. Das ist zu viel.

Tourist information (banks, customs)

Places of interest and recreation

tourist sights	**Sehenswürdigkeiten** f	disco	**Disko(thek)** f
entertainment	**Unterhaltung** f	ice-rink	**Eisbahn** f
amusement park	**Vergnügungspark** m	concert	**Konzert** n
excursion	**Auflug** m	festival	**Festival** n
exhibition	**Ausstellung** f	event	**Ereignis** n
cinema	**Kino** n	theatre	**Theater** n
museum	**Museum** n	castle	**Schloss** n

Tourist Information Office   **Auskunftsbüro** n

Enquire generally about tourist attractions

- Ask what sights / entertainment there are in town / in the area.
  Was für Sehenswürdigkeiten / Unterhaltung gibt es in der Stadt? / in der Gegend?

- Ask how to get there.   **Wie komme ich dahin?**

- Ask what sports one can do, and where.
  Was für Sportarten kann man machen, und wo?

- Ask about hiring a car / bicycle / boat / skis.
  Kann man ein Auto / ein Fahrrad / ein Boot / Skier mieten?

• Ask for . . .	**Ich möchte gern, bitte . . .**
information about . . .	**Information über . . .**
a brochure on . . .	**eine Brochüre über . . .**
a leaflet on . . .	**ein Blättchen über . . .**
a map of the region	**eine Landkarte der Gegend**
a town plan	**einen Stadtplan**
a plan of the underground	**einen U-bahnplan**
a bus / train timetable	**einen Fahrplan**
some slides of . . .	**einige Dias von . . .**

Ask for details about a place of interest.

• Opening / closing times.

Wann / Um wieviel Uhr | **öffnet   das Schloss?**
| **schliesst**

• Which days open.
An welchen Tagen ist das Museum geöffnet?

• The date of a festival / concert.
An welchem Tag ist das Festival / das Konzert?

• Duration of festival.   **Wie lange dauert das Festival?**

• Where to get entry tickets.
Wo kann man Eintrittskarten bekommen?

• Cost of entry.   **Was kostet der Eintritt?**

Enquire about accommodation

• Ask for a list of places to stay (hotels, campsites, boarding-houses).
Ich hätte gern, bitte, eine Liste von Hotels / Campingplätzen / Pensionen.

• Ask about accommodation, not too expensive.
Ich suche ein Zimmer, nicht zu teuer.

At the bank (exchange bureau)

• Ask at which counter to cash a cheque.
An welchem Schalter kann ich einen Scheck einlösen?

• Ask if you're at the right counter.
Bin ich am richtigen Schalter für . . . ?

- Say you wish to   **Ich möchte gern**
  cash a cheque (traveller's)   **einen Reisescheck einlösen.**
  change pounds into DM   **. . . Pfund in deutsche Mark wechseln.**
  change money   **Geld wechseln.**

- Ask if you have to sign cheque.
  Muss ich den Scheck unterschreiben?

- Ask rate of exchange.   **Wie ist der Wechselkurs?**

- Show some form of identity.

           meinen Pass. (passport)
Ich habe hier   **meinen Führerschein.** (driving licence)
           meinen Personalausweis. (ID card)
           meine Geburtsurkunde. (birth certificate)

- Apologise and say you have left your passport in hotel.
  Entschuldigung, ich habe meinen Pass im Hotel gelassen.

- Say how you would like the cash.
  notes   **Geben Sie mir bitte 3 Zwanzigmarkscheine /**
                 einen Zehnmarkschein.
  change   **Geben Sie mir bitte DM5 Kleingeld.**

- Ask where to collect the money.   **Wo hole ich das Geld?**

- Ask when bank opens / closes.   **Wann öffnet / schliesst die Bank?**

At the customs

- State your nationality.
  Ich bin Engländer(in). Ich bin aus Grossbritannien.

- Show passport and state luggage items.
  Hier ist mein Pass (passport) **/ mein Gepäck** (luggage).
  Ich habe eine Reisetasche (travel-bag).
                einen Rucksack / einen Koffer (case) **/ 2 Koffer.**

- State reason for visit.
  on holiday   **Ich mache Urlaub.**
  hitch-hiking   **Ich fahre per Anhalter.**
  visiting friend   **Ich besuche einen Freund / eine Freundin.**

- State what luggage is yours and which isn't.
  Diese Tasche gehört mir. Der Koffer gehört mir nicht.

- Declare items.
  Nothing to declare.   **Ich habe nichts zu verzollen.**
  It's a present for.   **Das ist ein Geschenk für . . .**

- Duty to pay?   **Muss ich Zoll zahlen?**

- Objects; place and date of purchase; price.
  Ich habe den Fotoapparat am zehnten August in Stuttgart gekauft; er hat DM350 gekostet.

- Your own possession.
  Das ist meine eigne Armbanduhr. (feminine)
           mein eigner Fotoapparat. (masculine)
           mein eignes Videospiel. (neuter)

SETTING 7

Accommodation (hotels, campsites, youth hostels)

Enquiries at the reception

- Say you want rooms for a certain length of time.
  single   **ein Einzelzimmer für 5 Nächte**
  double   **ein Doppelzimmer für eine Woche**
  half-board / full board **Halbpension / Vollpension**

- Say you want a pitch for tent / caravan until a certain day.
  Ich möchte Platz für ein Zelt / 2 Zelte bis Samstag.
                           für einen Wohnwagen bis zum dritten August.

- State the number of people.
  Wir sind zwei Erwachsene (adults) **und drei Kinder.**

- State number of beds at the hostel.
  Wir brauchen 2 Betten für einen Jungen und ein Mädchen.

- Wishing to see the accommodation.
  Kann ich das Zimmer (pl: die Zimmer) sehen, bitte?

- Ask for the key.   **Darf ich den Schlüssel haben?**

- Ask to be directed to alternative accommodation.
  Können Sie mir den Weg zu einem anderen Hotel sagen? / zu einem anderen Campingplatz? / zu einer anderen Jugendherberge?

- Ask where the nearest hotel / campsite / hostel is.
  Wo ist das nächste Hotel/der nächste Campingplatz/die nächste Jugendherberge?

Charges

- Ask cost per person per night.
  Was kostet es pro Person pro Nacht?

- Ask about reductions.
  Gibt es Ermässigung für Studenten / Kinder?

- Ask if meals are included.   **Sind die Mahlzeiten inbegriffen?**

- Ask about an extra charge for room with shower.
  Muss man extra für ein Zimmer mit Dusche zahlen?

- Ask when to pay.   **Wann muss ich zahlen?**

- Pay by cheque?   **Kann ich mit Scheck bezahlen?**

Reservations

- Reserve a room.
  Ich möchte gern ein Zimmer | vom ersten bis zum fünfzehnten Juli reservieren. | für 2 Nächte reservieren.

- State you have reserved a room by phone.
  Ich habe ein Zimmer telefonisch reserviert.

- Time of arrival / departure.
  Ich werde um 3 Uhr ankommen / abfahren.

Your preferences

• Give your preference for a room.

Ich möchte lieber ein Zimmer . . .

on ground floor	**im Erdgeschoss**
on first floor	**im ersten Stock**
with: shower	**mit Dusche**
washbasin	**mit Waschbecken**
phone	**mit Telefon**
bath	**mit Bad**
hot water	**mit heissem Wasser**
balcony	**mit Balkon**
a view of the sea	**mit Aussicht über die See**

• Say where you would prefer to pitch tent / park caravan.

**Ich möchte lieber das Zelt . . . aufbauen /
den Wohnwagen . . . parken.**

under the trees	**unter den Bäumen**
on the cliff / hill	**auf der Klippe / auf dem Hügel**
in another field	**in einem anderen Feld**

• Say you don't want room near lift.

Ich will nicht in der Nähe vom Lift schlafen.

VOCABULARY

accommodation	**Unterkunft** *f*	pitch	**Platz** *m* (¨e)
balcony	**Balkon** *m* (-e)	receptionist	**Empfangsdame** *f* (-n)
bath	**Bad** *n* (¨er)	recreation room	**Freizeitraum** *m* (¨e)
boarding-house	**Pension** *f* (-en)	shower	**Dusche** *f* (-n)
camp-bed	**Campingliege** *f* (-n)	single room	**Einzelzimmer** *n* (-)
campsite	**Campingplatz** *m* (¨e)	sleeping-bag	**Schlafsack** *m* (¨e)
caravan	**Wohnwagen** *m* (-)	stove	**Kocher** *m* (-)
corridor	**Gang** *m* (¨e)	tent	**Zelt** *n* (-e)
dormitory	**Schlafsaal** *m* (-e)	tin-opener	**Dosenöffner** *m* (-)
double room	**Doppelzimmer** *n* (-)	torch	**Taschenlampe** *f* (-n)
drinking water	**Trinkwasser** *n*	view	**Aussicht** *f* (-en)
flat	**Wohnung** *f* (-en)	warden (hostel)	**Herbergsvater** *m* (¨)
food-store	**Lebensmittel-**		**Herbergsmutter** *f* (¨)
	geschäft *n* (-e)	wash-block /	**Waschräume** *(pl)*
heating	**Heizung** *f*	rooms	
key	**Schlüssel** *m* (-)	washing-up sink	**Spülbecken** *n* (-)
lift	**Lift / Aufzug** *m*	water, hot	**heisses Wasser** *n*
	(-e / ¨e)	cold	**kaltes Wasser** *n*
office	**Büro** *n* (-s)	youth hostel	**Jugendherberge** *f* (-n)

Seek information about the accommodation

• Ask if porter can take luggage to room.
  Kann der Portier mein Gepäck zu meinem Zimmer nehmen?

• Ask which floor your room is on.
  In welchem Stock ist mein Zimmer?

• Ask the number of your room / dormitory.
  Welche Zimmernummer / Schlafsaalnummer habe ich?

• Ask about hiring sleeping-bags / blankets.
  Kann man Schlafsäcke / Decken mieten?

• Ask where you can . . . **Wo kann ich . . .**
  pitch your tent **mein Zelt aufbauen?**
  park the car **den Wagen parken?**
  leave your bicycle **mein Fahrrad lassen?**

• Ask if meals are served / included in price.
  Kann man hier eine Mahlzeit einnehmen? / Sind Mahlzeiten inbegriffen?

• Ask the time of meals.
  **Um wieviel Uhr ist das Frühstück /
  das Mittagessen / das Abendessen?**

• Ask about opening hours of hostel.
  Wann öffnet und schliesst die Jugendherberge?

• Ask what one can do in the evening.
  Was gibt es am Abend zu tun?

• Ask if it is permitted to bring a dog / park a car here.
  **Darf man einen Hund bringen?
          hier einen Wagen parken?**

Complaints

• Wanting to see manager / manageress.
  Ich möchte gern mit dem / der Geschäftsführer /-in sprechen.

• State something is not working.
  Der Lift funktioniert nicht. Die Birne ist kaputt. (bulb's gone)
  Die Heizung (heating) **ist nicht in Ordnung.**

- State that no soap / towel is provided in your room.
  Ich habe keine Seife / kein Handtuch in meinem Zimmer.

- Ask for extra pillow.   **Kann ich noch ein Kopfkissen haben?**

- Your room is too dark / small / noisy.
  Mein Zimmer ist zu dunkel / klein. Es gibt zu viel Lärm.

SETTING 8

Public transport

Ask about mode of transport
- How to get somewhere.   **Wie komme ich zu . . . nach** (place-name)**?**

- Can one travel by train somewhere?
  Kann man mit dem Zug nach Würzburg fahren?

by air	mit dem Flugzeug	by boat	mit dem Schiff
by bus	mit dem Bus	by coach	mit dem Reisebus
by hovercraft	mit dem Hovercraft		

- Which bus / train goes somewhere?   **Welcher Bus / Zug fährt . . . ?**

At the booking office or reservations office
- Ask for

1 single to . . .	einmal einfach nach Hannover
2 returns	zweimal hin und zurück
3 adults	3 Erwachsene
2 children	2 Kinder
1st / 2nd class	erster / zweiter Klasse

- Ask for types of tickets.

platform ticket	eine Bahnsteigkarte
weekly ticket	eine Wochenkarte

- Ask about reductions / extra charge.

  Gibt es Ermässigung für Studenten / Touristen?
  Muss man für diesen Zug extra bezahlen?

- Ask about cost of fare / flight somewhere.

  Wieviel kostet die Reise nach München?
  Was kostet der Flug nach Hamburg?

- Make a reservation for a seat / couchette.

  Ich will einen Platz erster Klasse nach London reservieren.
  einen Liegewagenplatz. (couchette)

Enquiries about public transport

- Ask which platform a train leaves from.

  Von welchem Gleis fährt der Zug nach Dortmund ab?

- Ask where one gets a vehicle.

Wo nimmt man	**das Flugzeug nach Wien?**
	den Zug nach Paris?
	das Schiff nach Dover?
	den Bus nach Kassel?

- Ask about items of departure and arrival.

departure of next train	**Um wieviel Uhr fährt der nächste Zug ab?**
departure of last bus	**Um wieviel Uhr fährt der letzte Bus ab?**
arrival	**Wann kommt das Schiff an Dover an?**

- Have to change? Go direct?

  Muss man umsteigen?
  Fährt der Zug direkt?

- Ask where to get off (out). **Wo steige ich aus?**

- Ask how long to wait. **Wie lange muss ich warten?**

- Ask length of journey / flight / crossing.

  Wie lange dauert die Reise / der Flug / die Überfahrt?

- Ask how often transport runs.

  Wie oft fahren die Züge / Busse nach Frankfurt?

- Ask if there's a later bus / train.

  Gibt es einen Bus / einen Zug später?

- Ask where to get a taxi. **Wo kann ich ein Taxi finden?**

Ask about facilities

Entschuldigen Sie, bitte, wo ist (sind)...

booking office?	der Fahrkartenschalter?
duty-free shop?	der Duty free shop?
exchange office?	die Wechselstube?
exit?	der Ausgang?
information office?	das Auskunftsbüro?
left-luggage lockers?	die Gepäckschliessfächer?
left-luggage office?	die Gepäckaufbewahrung?
newsstand?	der Zeitungsstand?
snack-bar?	die Imbiss Stube?
telephones?	die Fernsprecher?
timetable?	der Fahrplan?
toilets?	die Toiletten?
waiting-room?	der Wartesaal?

* Ask if something is open.   **Ist die Wechselstube geöffnet?**

* Ask where...   Wo kann man...

to leave luggage	Gepäck lassen?
to buy a paper	eine Zeitung kaufen?
to get a taxi	ein Taxi nehmen?
to reserve seats	Plätze reservieren?
to change money	Geld wechseln?

From platform to train

* Ask porter to take luggage.
  Können Sie mein Gepäck zum Zug auf Gleis 4 nehmen?

* Ask if it's the right train.   **Ist das der Zug nach Frankfurt?**

* Ask if the seat is free / taken / reserved.
  Ist dieser Platz frei / besetzt / reserviert?

* Tell someone he / she has taken your seat.
  Entschuldigen Sie, Sie sitzen auf meinem Platz.

* Ask if smoking is allowed.   **Darf man (in diesem Abteil) rauchen?**

* Preference for a smoking / non-smoking compartment.
  Ich möchte lieber ein Raucherabteil / Nichtraucherabteil.

- Ask if the train stops at a particular place.
  Hält dieser Zug in Königswinter (an)?

- Ask if there's a bar / restaurant-car.
  Gibt es eine Bar / einen Speisewagen (in diesem Zug)?

SETTING 9

Leisure (entertainment, sport, tourist visits)

Ask what's on at the theatre / cinema, and when
Was läuft am Theater, und wann?
ein Schauspiel von . . . (a play by)   **eine Komödie von . . .** (comedy by)
Was läuft am Kino?
ein Krimi (thriller / detective film)   **ein Horrorfilm**
ein Liebesfilm (romance)   **ein Science-fiction-film**
ein Abenteuerfilm (adventure)

Invite someone
- Invite someone somewhere.
  Willst du heute abend / morgen abend / am Samstag ins Kino mitkommen?
  to the:

castle	**zum Schloss**	match	**zum Spiel**
circus	**zum Zirkus**	opera	**in die Oper**
concert	**ins Konzert**	party	**zur Party**
dance hall	**zur Tanzhalle**	races	**zum Pferderennen**
disco	**zur Disko**	sports centre	**zum Sportzentrum**
exhibition	**zur Ausstellung**	theatre	**ins Theater**
festival	**zum Festival**	tournament	**zum Turnier**
ice-rink	**zur Eisbahn**	youth club	**zum Jugendklub**

- Accept.   **Ja, gerne. Danke schön.**

- Decline.
  Es tut mir leid, das kann ich nicht.
  ich kann nicht kommen.

- Suggest alternative day.   **Ich könnte am Donnerstag (kommen).**

- Arrange to meet; where and when?
  Wo sollen wir uns treffen, und wann?
  Treffen wir uns um halb acht auf dem Marktplatz.

- Say you'll get tickets.
  Ich will / werde die Eintrittskarten kaufen / bekommen.

At the booking-office

- Ask what prices are available.   **Was kosten die Plätze?**

- Book seats / price / position in theatre / cinema.
  Ein Platz / Zwei Plätze zu DM10

in the circle	**im ersten Rang**	at the front	**vorne**
upper circle	**im zweiten Rang**	at the back	**hinten**
in the stalls	**im Parkett**	in the middle	**in der Mitte**

- Ask if there are any reductions for students / groups.
  Gibt es Ermässigung für Studenten / Gruppen?

- Ask if one has to reserve seats.   **Muss man Plätze reservieren?**

- Reserve seats: give details.
  Ich will 4 Plätze für Dienstag abend im Parkett reservieren.

- State you have reserved tickets by phone and ask for them.
  Ich habe 3 Karten telefonisch reserviert.
  Darf ich sie nehmen?

- Ask price of entry.
  Was kostet der Eintritt?

Make enquiries about a performance

- Ask time performance begins / ends.
  Um wieviel Uhr fängt die Vorstellung an? . . . ist die Vorstellung zu Ende?

- Ask length of performance.
  Wie lange dauert die Vorstellung / der Film / das Schauspiel?

- Ask if film is dubbed / has sub-titles / is in English.
  Ist der Film synchronisiert / Hat der Film Untertitel / Ist der Film auf englisch?

- Ask for programme / brochure.
  Darf ich ein Programm / eine Broschüre kaufen?

- Ask if there are refreshments in the interval.
  Kann man Erfrischungen in der Pause kaufen?

- Ask if children are admitted.   **Werden Kinder hereingelassen?**

Make enquiries about sports facilities and tourist sights

- Ask about opening / closing hours of museum / castle.
  Wann öffnet / schliesst das Museum / das Schloss?

- Ask if one can hire equipment.
  Kann man hier . . . mieten?

balls	**Bälle**	rowing boat	**Ruderboot (-e)** *n*
golf-clubs	**Golfschläger**	sailing boat	**Segelboot (-e)** *n*
life jackets	**Schwimmwesten**	skates	**Schlittschuhe**
rackets	**Schläger**	skis	**Skier**
		windsurfers	**Windsurfer**

- Ask cost to hire something.   **Was kostet es Skier zu mieten?**

- Ask if dogs are admitted.   **Werden Hunde hereingelassen?**

- Ask if one may take photos.   **Darf man hier fotografieren?**

- Ask where one can park.   **Wo kann man parken?**

SETTING 10

Health

What's the matter?
Was fehlt Ihnen?

broken arm / shoulder	**Ich habe mir den Arm / die Schulter gebrochen.**
bruise	**Ich habe einen blauen Fleck.**
burn	**Ich habe mir die Hand / den Arm / das Bein verbrannt.**
cold	**Ich bin erkältet.**
cough	**Ich huste.**
cut	**Ich habe mich am Finger / am Arm / an der Hand / am Bein / am Fuss geschnitten.**
feel ill	**Es geht mir nicht gut. Ich fühle mich krank.**
feel weak / tired	**Ich fühle mich schwach / müde.**
headache	**Ich habe Kopfschmerzen.**
hurts	**Der Arm tut mir weh.**

foot	**der Fuss**	knee	**das Knie**
leg	**das Bein**	shoulder	**die Schulter**
back	**der Rücken**		

injured	**verletzt**
knocked head against	**Ich habe mir den Kopf gegen die Wand angeschlagen.**
no appetite	**Ich habe keinen Appetit.**
sore throat	**Ich habe Halsschmerzen.**
sprained ankle	**Ich habe den Knöchel verstaucht.**
stomach-ache	**Ich habe Bauchschmerzen.**
sunburnt	**sonnenverbrannt**
sting / bite	**Ich habe einen Insektenstich.**
temperature	**Ich habe Fieber.**
toothache	**Ich habe Zahnschmerzen.**

Seek medical aid

- Ask where to find a doctor / dentist.
  Wo kann ich einen Arzt / einen Zahnarzt finden?

- Say you must phone a doctor / for an ambulance.
  Ich muss einen Arzt anrufen.
  Ich muss einen Krankenwagen rufen.

• Say you want to make an appointment.
Ich will mich beim Arzt anmelden.

Give details about accidents (For injuries, see above.)

What happened?	**Was ist passiert?**
Someone run over	**. . . ist überfahren worden.**
fell off bicycle	**Das Kind ist vom Fahrrad heruntergefallen.**
slipped	**Die Dame ist ausgerutscht.**
car skidded	**Der Wagen ist geschleudert.**
car knocked into	**Der Wagen ist gegen einen Bus gefahren.**
car overtook	**Der Wagen überholte einen Lastkraftwagen.**
car turned corner fast	**Der Wagen ist schnell um die Ecke gefahren.**
man was crossing road	**Ein Mann ging über die Strasse.**

Questions to the doctor

• Ask if you may go out.

swim	**Kann ich ausgehen?**
walk	**schwimmen?**
go to school	**spazierengehen?**
	zur Schule gehen?

• Ask if you have to . . .

stay in bed	**Muss ich . . .**
take medicine	**im Bett bleiben?**
have treatment	**Medizin nehmen?**
return to surgery	**mich behandeln lassen?**
rest	**zur Sprechstunde zurückkommen?**
go to hospital	**mich ausruhen?**
	ins Krankenhaus gehen?

At the chemist's

• Ask for tablets / ointment for something.
Ich möchte gern Tabletten / Salbe gegen . . .

sunburn	**Sonnenbrand**	insect bite	**einen Insektenstich**
stomach-ache	**Bauchschmerzen**	cough	**einen Husten**
a cold	**eine Erkältung**	headache	**Kopfschmerzen**

• Hand over prescription. **Hier ist ein Rezept.**

• Ask how long to wait. **Wie lange muss ich warten?**

• Ask how often you have to take the medicine.
Wie oft muss ich die Medizin nehmen?

• Ask for toiletries.   **Ich hätte gern . . .**

aspirin	**Aspirin**	soap	**Seife**
comb	**einen Kamm**	toothbrush	**eine Zahnbürste**
plaster	**Heftpflaster**	toothpaste	**Zahnpasta**
shampoo	**Shampoo**		

SETTING 11

Communications (post office, phoning)

At the post office

• Ask if you are at the right counter for stamps.
  Ist das der richtige Schalter für Briefmarken?

• Ask where there is a phone box / letter box.
  Wo gibt es eine Telefonzelle / einen Briefkasten?

• Requiring stamps at a certain value.
  Ich möcht gern vier Briefmarken *zu* achtzig Pfennig.

• Ask how much it is to send . . .   **Wieviel kostet . . .**
  an airmail letter.   **ein Brief per Luftpost?**
  a registered letter.   **ein Brief per Einschreiben?**
  a postcard to England.   **eine Postkarte nach England?**
  a telegram abroad.   **ein Telegramm ins Ausland?**

• Ask how long a letter takes.
  Wie lange braucht ein Brief bis England?

On the telephone

• Ask someone's phone number.   **Was ist Ihre Telefonnummer?**

• Give your own telephone number.
  Meine Telefonnummer ist (number).

- Ask if you can contact someone on the phone.
  Sind Sie telefonisch zu erreichen?

- Wishing to phone someone.   **Ich will . . . anrufen.**

- Announce yourself on the phone.   **Hallo. Hier spricht . . .**

- Ask who is speaking.   **Wer spricht?**

- Ask if you have the correct number.   **Ist das** (give number)?

  N.B. 2 = **zwo** *on the phone.*

- Ask to speak to someone else, and give a reply.
  Darf ich mit . . . sprechen?
  Ja, Moment bitte. Es tut mir leid; er / sie ist weg.

- Ask to leave a message.
  Kann ich eine Nachricht für . . . hinterlassen?

- Say it is difficult to hear; ask person to speak louder.
  Ich kann nicht gut hören.
  Können Sie lauter sprechen?

- Say it's the wrong number.   **Ich bin falsch verbunden.**

Contact the operator
- Ask to be connected to a number.
  Können Sie mich mit (number) **verbinden?**

- You cannot get through.   **Ich kann diese Nummer nicht erreichen.**

- Ask to reverse charges.   **Ich will ein R-Gespräch führen.**

- You've been cut off.   **Wir sind unterbrochen worden.**

Lost property

Lost property office   **Das Fundbüro**

For a list of common articles likely to be lost, refer to Setting 2 (Shopping – department store), page 16.

Report a lost / found article

- Say you've found an article.
  Ich habe diesen / -e / es . . . gefunden.

- Report a lost article.
  Ich habe / Mein Freund hat einen / -e / ein . . . verloren.

- Report a stolen article.   **Man hat . . . gestohlen.**

- Say an article has disappeared.   **Mein Fahrrad ist verschwunden.**

Give a description of the article

- Er / Sie ist . . .

small / large	klein / gross	old	alt
beautiful	schön	pretty	hübsch
long	lang	round	rund
modern	modern	thin	dünn
new	neu		

gold	aus Gold	plastic	aus Plastik
leather	aus Leder	silver	aus Silber
metal	aus Metall	wooden	aus Holz

- name / initials engraved
  Mein Name ist eingraviert.
  Meine Initialen sind eingraviert.

- value
  Die Armbanduhr ist (etwa) DM80 wert.
  Der Ring ist sehr wertvoll (valuable).

When lost, and how

- When?

  Ich habe ihn / sie / es gestern abend verloren.

two hours ago	**vor zwei Stunden**
about midday	**gegen Mittag**
between 10 and 11	**zwischen zehn und elf (Uhr)**

- Dropped an article.

  Ich habe ihn / sie / es in dem Park / auf der Strasse fallen lassen.

- Where you were at the time.

  Ich war in der Nähe vom / von der. . . .

  (I was near . . . .)

- Where you left the article.

  Ich habe ihn / sie / es im / in der . . . gelassen.

- Uncertainty about the exact details.

I think	**Um 9 Uhr, glaube ich.**
probably	**Wahrscheinlich vor meinem Hotel.**
not sure, but maybe . . .	**Ich bin nicht sicher, aber vielleicht . . .**

- Where the lost article was originally.

in bag	**Das Geld war in meiner Tasche.**
in handbag	**Der Ring war in meiner Handtasche.**
	in ihrer Handtasche. (in her handbag)
in case	**Der Fotoapparat war in einem Koffer.**
in pocket	**Die Brieftasche war in meiner Hosentasche / Manteltasche.**
in car	**Die Schlüssel waren im Wagen.**

Contents

- of case   **Im Koffer waren Kleider und ein Handtuch.**

- of bag   **In der Reisetasche war ein brauner Pullover.**

- of wallet   **In der Brieftasche waren 3 Zwanzigmarkscheine und einige Fotos.**

Identification

- Ask if article has been handed in.

  Hat man zwei Schlüssel abgegeben?

- Identify article as being yours.

  Dieser Fotoapparat gehört mir, nicht jener. (not that one)
  Diese Schlüssel gehören mir. Ich erkenne sie. (recognise)

- Not seeing your article when shown a selection.

  Ich sehe meine Armbanduhr nicht hier.
  die Halskette meiner Freundin nicht hier.

Future measures

- Tell the lost property assistant you will

  come again tomorrow. **Ich werde morgen zurückkommen.**
  phone later.   **Ich werde später telefonieren.**

- Ask when you could contact the lost property office again.

  Wann soll ich zurückkommen? Wann soll ich wieder telefonieren?

- Say where you can be contacted.

  Sie können mich im Hotel erreichen.

SETTING 13

Domestic abroad

Greetings – introductions – discussing journey

- Hello.   **Guten Tag.**

- Confirm someone's name.

  Bist du Anna? Sind Sie Frau Schmidt? Ja, ich bin's.

- How are you?

  Wie geht's? (More polite – **Wie geht es dir / Ihnen?**)
  Sehr gut, danke. / Nicht so gut, und dir? / und Ihnen?

- Introduce someone.

  – **Ich stelle dir / Ihnen Heinz vor.**
  – **Sehr angenehm.** (Very pleased to meet you.)

- Ask what the journey was like.   **Wie war die Reise?**

a bit tiring	**ein bisschen ermüdend**
pleasant	**angenehm**
train full	**Der Zug war voll.**
crossing bad	**Die Überfahrt war schlecht.**
boat late	**Das Schiff kam spät an.**

- Thank host / ess for fetching you.
  Vielen Dank, dass Sie mich abgeholt haben.

Arrival at friend's house

- Show guest his / her room.
  - **Willst du mir mein Zimmer zeigen?**
  - **Ja, ich will dir dein Zimmer zeigen.**

- Location of other rooms.
  - **Willst du mir das Badezimmer / die Toilette zeigen?**
  - **Da, neben deinem Zimmer. Oben** (upstairs), **die erste Tür links.**

- Sit down and offer / accept a drink.
  - **Setz dich! Willst du etwas trinken?**
  - **Ich hätte gern ein kaltes / heisses Getränk, bitte.** (cold / hot drink)

- Ask the time you get up / go to bed / have meals.
  Um wieviel Uhr steht man auf / geht man zu Bett / isst man zu Mittag / zu Abend? (have lunch / supper)

- Ask where to put clothes.   **Wo kann ich meine Kleider lassen?**

- Ask if you may . . .   **Darf ich . . .**

have a drink	**ein Getränk haben?**
have a wash	**mich waschen?**
have a shower	**eine Dusche nehmen?**
unpack	**auspacken?**
phone home	**nach Hause telefonieren?**
write card	**eine Postkarte schreiben?**
borrow pen	**einen Kuli leihen?**
wash clothes	**Kleider waschen?**
use washing-machine	**die Waschmaschine benutzen?**

Meals

- Ask what's for lunch / supper.
  Was essen wir zum Mittagessen / Abendessen?

- Say what you would like.
  Ich möchte gern Schweinefleisch, Pommes-Frites, Erbsen . . . .

- Hungry? Thirsty?
Hast du Hunger?	**Hast du Durst?**
Ich habe Hunger.	**Ich habe Durst.**

- Offer more.   **Möchtest du gern noch Fleisch?**
a little more	**ein bisschen mehr**
No thank you, I'm full.	**Nein danke, ich bin satt.**

- Enjoyed meal.   **Das Essen hat mir sehr gefallen.**

Offer help

Darf ich Ihnen / dir helfen?

lay table	**Darf ich den Tisch decken?**
clear table	**Darf ich den Tisch abräumen?**
wash up	**Darf ich abwaschen?**
dry up	**Darf ich abtrocknen?**
do housework	**Darf ich die Hausarbeit machen?**
sweep floor	**Darf ich den Fussboden fegen?**
do shopping	**Darf ich die Einkäufe machen?**
prepare meal	**Darf ich das Frühstück / das Mittagessen / das Abendessen bereiten?**
clean car	**Darf ich den Wagen putzen?**
cut grass	**Darf ich das Gras mähen?**

Plans for your stay

- Ask penfriend about plans, and answer.
  Was für Pläne hast du gemacht?
  Wir werden / können. . . .

visit . . .	**den Zoo / den Dom / das Schloss besuchen.**
go for walks	**(einige) Spaziergänge machen**
go for bicycle rides	**radfahren**
go for boat trip	**eine Bootsfahrt machen**
go sightseeing	**auf Besichtigungstour gehen**
meet friends	**Freunde / Freundinnen treffen**

• Accept / refuse an idea.

Gute Idee! Ich möchte das sehr gern.

Tut mir leid, das möchte ich nicht tun.

• Make a suggestion.

Gehen wir in den Park!   **Machen wir ein Picknick!**
Trinken wir eine Cola in diesem Café!   **Sehen wir fern!**
Besuchen wir das Schloss!   **Spielen wir Karten!**

• Say it would be pleasant to do something.

Es wäre sehr angenehm, in den Park zu gehen / im Park Tennis zu spielen.

Wir könnten zum See gehen. Das wäre sehr angenehm.

• Accept invitation to party – but how do I get back?

Ich möchte sehr gern zur Party gehen, aber wie kann ich zurückkommen?

• Arrange to meet someone.

Ich habe verabredet, einen Freund zu treffen.

Departure

• Date and check time.

Ich fahre am zwanzigsten August nach Hause zurück.

Ich will bestätigen (confirm), wann mein Zug abfährt.

• Final words to host / hostess.

Offer gift.	**Hier ist ein Geschenk für Sie.**
Thank for hospitality.	**Vielen Dank für Ihre Gastfreundschaft.**
Enjoyed stay.	**Mein Aufenthalt hat mir sehr gefallen.**
Sorry to leave.	**Es tut mir leid abzufahren.**
Hope to see you again.	**Hoffentlich werden wir uns wieder treffen.**

Topics for general conversation

TOPIC 1

Personal particulars

Name   Ich heisse . . .

First name   Mein Vorname ist . . .

Spelling of name   Mein Name schreibt sich . . .

Residence   Ich wohne in (town).

Address   Meine Adresse ist . . .

On the phone   Ich habe Telefon.

Phone no.   Meine Telefonnummer ist . . .

Nationality   Ich bin Engländer(in) / Irländer(in) /
Schottländer(in) / Waliser(in).

Date of birth   Ich bin am (date) geboren.

TOPIC 2

Family, friends, pets

Number in family   Es gibt 5 Mitglieder in meiner Familie.

Your relations / friends

mein Bruder / mein Onkel / meine Schwester / meine Tante

Ich habe einen älteren Bruder, der Robert heisst. (I have an elder
brother who is called Robert.)

Ich habe eine ältere Schwester, die Anna heisst.

Ich habe keine Brüder / Schwestern. (I have no brothers / sisters.)
            viele / einige Freunde. (many / a few friends)

Mein Grossvater / Meine Grossmutter ist tot. (dead)

Marital status

single	unverheiratet	engaged	verlobt
married	verheiratet	divorced	geschieden

Only child / twin

Ich bin ein Einzelkind. Wir sind Zwillinge.
Ich bin Zwillingsbruder / Zwillingsschwester.

Where relations live

Mein Grossvater wohnt bei uns. (with us)
Meine Verwandten wohnen in (town).

Best friend

Mein bester Freund   heisst . . .
Meine beste Freundin

Having a penfriend

Ich habe einen Brieffreund, der in Hamburg wohnt.
Ich habe eine Brieffreundin, die in Frankfurt wohnt.

Pets

Ich habe einen Hund, der . . . heisst.
          eine schöne / schwarze / weisse / graue Katze
          ein Pferd (horse) / einen Papagei (parrot)
          keine Haustiere (no pets)

Getting on with people   Ich verstehe mich mit . . .

Disliking people   Ich habe . . . nicht gern . . .

Knowing the neighbours   Ich kenne unsere Nachbarn.

TOPIC 3

Age, birthday

Your age   Ich bin . . . Jahre alt.

Your birthday   Mein Geburtstag ist am . . . -ten / -sten (month).

Year of birth   Ich bin neunzehnhundert . . . geboren.

Will be 16

soon   Ich werde bald sechzehn sein.
in month   Ich werde im (month) sechzehn sein.

Age of friend

now   Mein(e) Freund(in) ist . . . Jahre alt.
soon   Er / sie wird bald . . . Jahre alt.

Older / younger

Meine Schwester ist älter als ich.
Ich bin jünger als mein Bruder.

Oldest / youngest

Heinz ist der älteste / der jüngste.
Maria ist die älteste / die jüngste.

Plans for birthday   Zu meinem Geburtstag

werde ich mit meiner Familie in ein Restaurant gehen.
werde ich mit meinen Freunden ausgehen.
werde ich Freunde zu einer Party einladen (invite).
werde ich nicht viel machen.

What you did last birthday

Ich bin ins Kino / ins Theater / ins Konzert gegangen.
Ich bin mit meiner Familie ausgegangen.
Ich habe Freunde zu mir eingeladen (invited).

Presents received

Ich habe eine schöne Armbanduhr erhalten.
Meine Tante hat mir einen Fotoapparat geschenkt.

TOPIC 4

Description of people

Physical characteristics

Ich bin / Er ist / Sie ist

fat	**dick**	pretty	**hübsch**
thin	**dünn**	short	**klein**
strong	**stark**	tall	**gross**

hair	Ich habe / Sie hat blondes / braunes / schwarzes / langes Haar.
eyes	Ich habe / Er hat blaue / braune / grüne Augen.
beard	Er hat einen langen / schwarzen Bart.
glasses	Er trägt Brille.

Weight   Ich wiege / Er wiegt 60 Kilogramm.

Height   Ich bin ein Meter sechzig gross.

Personality

Ich bin   Er / Sie ist oft (often) . . .
                   immer (always) . . .
                   gewöhnlich (usually) . . .

charming	**reizend**	lively	**lebhaft**
cheerful	**munter**	modest	**bescheiden**
friendly	**freundlich**	pleasant	**angenehm**
happy	**fröhlich**	polite	**höflich**
hard-working	**fleissig**	quiet	**ruhig**
honest	**redlich**	serious	**ernst**
intelligent	**intelligent**	shy	**scheu**
kind	**gütig**	sincere	**aufrichtig**
lazy	**faul**	unbearable	**unerträglich**

Status

rich **reich**   poor **arm**   famous **berühmt**

Clothing

In der Schule trage ich eine blaue / grüne Uniform.

Am Wochenende / In den Ferien / trage ich einen alten Pullover und eine braune Hose.

Ich trage Jeans oder ein hübsches Kleid. (a pretty dress)
             einen Rock und eine weisse Bluse. (skirt and blouse)

Someone you admire   Ich bewundere . . .

TOPIC 5

Routine at home

Helping mother in house   Ich helfe meiner Mutter im Haus.

Having to help   Ich muss meiner Mutter helfen.

Jobs you do or have to do

make beds	Ich mache die Betten.		die Betten	machen.
cooking	Ich koche.			kochen.
shopping	Ich mache die Einkäufe.		die Einkäufe	machen.
housework	Ich mache die Hausarbeit.		die Hausarbeit	machen.
washing-up	Ich wasche ab.			abwaschen.
washing	Ich wasche die Wäsche.		die Wäsche	waschen.
homework	ich mache meine Hausaufgaben.	Ich muss	meine Hausaufgaben	machen.
lay table	Ich decke den Tisch.		den Tisch	decken.
clean car	Ich putze das Auto.		das Auto	putzen.
feed dog	Ich füttere den Hund.		den Hund	füttern.
visit relations	Ich besuche Verwandte.		Verwandte	besuchen.
take little sister to school	Ich bringe meine kleine Schwester zur Schule.		sie zur Schule	bringen.

Opinion of jobs

don't like	Ich habe die Arbeit nicht gern.
don't mind	Es ist mir egal.
boring	langweilig.

Pocket money

Ich erhalte ein Pfund Sterling pro Woche. (I receive £1 per week.)

Spend / save money

spend all	Ich gebe all mein Taschengeld aus.
save	Ich spare mein Taschengeld.
buy a lot / nothing	Ich kaufe viel / nichts.

The time you do something – the time you did something

get up	Ich stehe um 7 Uhr auf.	Ich bin . . . aufgestanden.
leave house	Ich verlasse das Haus um 8 Uhr.	Ich habe . . . verlassen.
have lunch	Ich esse um eins zu Mittag.	Ich habe . . . gegessen.
arrive home	Ich komme um 5 zu Hause an.	Ich bin . . . angekommen.
have supper	Ich esse um 7.30 zu Abend.	Ich habe . . . gegessen.
go to bed	Ich gehe um elf zu Bett.	Ich bin . . . gegangen.

The time someone else does something

Claudia steht um 7 Uhr auf.   verlässt . . . isst . . . kommt . . . geht.

What you like to eat and drink

Ich esse gern Schinken. Ich trinke gern Wein.

What you ate and drank for a meal

for breakfast	Zum Frühstück habe ich ein Ei und Toast gegessen. Kaffee / Tee getrunken.
for lunch	Zum Mittagessen habe ich Schinken mit Salat gegessen. Orangeade / Limonade / Wasser getrunken.
for supper	Zum Abendessen habe ich eine Bratwurst gegessen. Cola / Apfelsaft getrunken.

Leisure activities, interests

VOCABULARY

What you do

	Ich	Ich
buy records	kaufe Schallplatten	habe . . . gekauft
collect stamps	sammele Briefmarken	habe . . . gesammelt
dance	tanze	habe . . . getanzt
do athletics	treibe Leichtathletik	habe . . . getrieben
do gardening	mache Gartenarbeit	habe . . . gemacht
do painting	male	habe . . . gemalt
do photography	fotografiere	habe . . . fotografiert
do woodwork	mache Holzarbeit	habe . . . gemacht
go boating	mache Bootsfahrten	habe . . . gemacht
go camping	zelte	habe . . . gezeltet
go to cinema	gehe ins Kino	bin . . . gegangen
go climbing	steige . . . berg	bin . . . berggestiegen
go cycling	fahre . . . rad	bin . . . radgefahren
go fishing	angele	habe . . . geangelt
go hitch-hiking	fahre per Anhalter	bin . . . gefahren
go out	gehe . . . aus	bin . . . ausgegangen
go sailing	segele	habe . . . gesegelt
go skating	laufe Schlittschuh	bin . . . gelaufen
go ski-ing	laufe . . . Ski	bin . . . Skigelaufen
go walking	mache Spaziergänge	habe . . . gemacht
go water-skiing	fahre . . . Wasserski	bin Wasserskigefahren
go windsurfing	gehe windsurfen	bin . . . gegangen
listen to radio	höre Radio	habe . . . gehört
play tennis / football	spiele Tennis / Fussball	habe . . . gespielt
piano / violin	Klavier / Geige	
guitar	Gitarre	
read books	lese Bücher	habe . . . gelesen
ride horse	reite	bin . . . geritten
sing in choir	singe im Chor	habe . . . gesungen
swim in pool	schwimme	
	im Schwimmbad	bin . . . geschwommen
in sea	in der See	
travel abroad	fahre ins Ausland	bin . . . gefahren
visit	besuche	habe . . . besucht
watch sport	sehe Sport	habe . . . gesehen
watch T.V.	sehe . . . fern	habe . . . ferngesehen
write letters	schreibe Briefe	habe . . . geschrieben

How often?
Wie oft gehen Sie ins Theater?
Einmal / Zweimal in der Woche / im Monat / im Jahr.
  (once / twice a week / a month / a year)

Ask what people do at certain times, or like to do
Was machen Sie / Was machen Sie gern

in your free time?	**in Ihrer Freizeit?**
in good weather?	**bei gutem Wetter?**
in bad weather?	**bei schlechtem Wetter?**

What someone else does – what we do.
(Refer to the verbs above for the meanings.)

er / sie	wir	er / sie	wir
kauft	kaufen	zeltet	zelten
sammelt	sammeln	steigt	steigen
tanzt	tanzen	angelt	angeln
treibt	treiben	fährt	fahren
macht	machen	segelt	segeln
malt	malen	läuft	laufen
fotografiert	fotografieren	hört	hören
geht	gehen	spielt	spielen
liest	lesen	besucht	besuchen
reitet	reiten	sieht	sehen
singt	singen	schreibt	schreiben
schwimmt	schwimmen		

What someone else did – what we did
(Refer to the 3rd column at beginning of this topic.)

er / sie	hat . . . gekauft	wir	haben . . . gekauft
er / sie	ist . . . gegangen	wir	sind . . . gegangen
	ist . . . gestiegen		sind . . . gestiegen
	ist . . . gefahren		sind . . . gefahren
	ist . . . gelaufen		sind . . . gelaufen
	ist . . . geritten		sind . . . geritten
	ist . . . geschwommen		sind . . . geschwommen

You will need the infinitive of the verb in the following expressions
Remember the infinitive is identical to the 'wir' form of the verb in the present tense, except in the case of 'sein – to be'.

I am going to / want to	Ich will heute abend fernsehen.
I have to / must	Ich muss in die Stadt gehen.
I can / I will	Ich kann Tennis spielen. / Ich werde schwimmen.
I'm learning to	Ich lerne schwimmen / segeln / Tennis spielen.
I've decided to	Ich habe beschlossen, ins Ausland <u>zu</u> fahren / aus<u>zu</u>gehen / fern<u>zu</u>sehen.

Like – prefer – like most

I like swimming.	Ich schwimme gern.
I prefer sailing.	Ich segele lieber.
I like ski-ing most	Ich laufe am liebsten Ski.

Hope to do something   Use hoffentlich – hopefully

Hoffentlich fahren wir nach Berlin.

What you never do   Ich gehe niemals ins Theater.

Take an interest in things

Ich interessiere mich für Sport / Musik / Tanzen / Segeln / Filme.
Er / sie interessiert sich für Bücher / das Kino / das Camping / die Informatik / das Fernsehen / die Mode.

Favourite hobbies / sport

Mein Leiblingszeitvertreib ist das Camping / die Musik.
Mein Lieblingssport ist Tennis / Fussball.

Member of club / team

Ich bin Mitglied eines Sportvereins. (sports club)
einer Tennismannschaft. (tennis team)

Types of books, films and television programmes you like

Ich lese gern Abenteuerromane. (adventure novels)
Ich sehe gern Abenteuerfilme. (adventure films)
Horrorfilme.
war **Kriegsromane / Kriegsfilme**
love / romances **Liebesromane / Liebesfilme**
detective stories / films **Krimis**
comedies **Komödien**
dramas **Dramen**
die Popmusik   **die Konzerte**   **die Schauspiele** (plays)

Your opinions about books, films, sporting events, etc.

exciting		den Film spannend	
excellent		das Buch vortrefflich	
funny		die Sendung komisch	
boring	Ich habe	das Konzert langweilig	gefunden.
very good		das Spiel sehr gut	
poor		die Komödie schlecht	
quite good		das Schauspiel ganz gut	

der Film   Ich habe *ihn* spannend gefunden. (I found *it* exciting.)
die Komödie Ich habe *sie* schlecht gefunden.
das Buch   Ich habe *es* vortrefflich gefunden.

Ich war enttäuscht. (I was disappointed.)

TOPIC 7

Jobs

Who people are
Herr Huber ist Mechaniker. (*Never* ein Mechaniker.)

VOCABULARY

accountant	**Buchhalter**	librarian	**Bibliothekar(in)**
baker	**Bäcker**	mechanic	**Mechaniker**
bank clerk	**Bankangestellte(r)**	nurse	**Krankenschwester**
barman	**Barman**	painter	**Anstreicher**
butcher	**Metzger**	porter (hotel)	**Portier**
chemist	**Apotheker**	(rail)	**Gepäckträger**
computer operator	**Computeroperator**	postman	**Briefträger**
dentist	**Zahnarzt (Zahnärztin)**	pump-attendant	**Tankwart**
designer	**Designer**	representative	**Vertreter(in)**
director of firm	**Direktor einer Firma**	secretary	**Sekretär(in)**
doctor	**Arzt (Ärztin)**	shorthand typist	**Stenotypist(in)**
driver	**Busfahrer**	teacher	**Lehrer(in)**
engineer	**Ingenieur**	technician	**Techniker(in)**
fireman	**Feuerwehrmann**	typist	**Schreibkraft** *f*
hairdresser	**Friseur** *m* / **Friseuse** *f*	unemployed	**arbeitslos**
hotel manager / manageress	**Geschäftsführer(in)**	waiter	**Kellner**
		waitress	**Kellnerin**

What you want to be   Ich will Ingenieur sein (or **werden**).

What someone works as   Sie arbeitet als Schreibkraft.

Place of work

Er / Sie arbeitet
- in einem Büro. (office)
- in einer Autowerkstatt.
- in einer Bank.
- in einem Laden. (shop)
- in einer Fabrik. (factory)

Transport to work

Er fährt
- mit dem Bus
- mit dem Auto
- mit dem Zug
- mit dem Fahrrad

an die Arbeit.

Sie geht zu Fuss dahin. (She goes there on foot.)

Weekend / part-time job

Ich habe eine Wochenendarbeit.
Ich arbeite Teilzeit. (work part-time)

Earnings

Ich verdiene 3 Pfund Sterling pro Stunde. (per hour)
Meine Mutter verdient 130 Pfund Sterling pro Woche. (per week)

What job you do / would like to do

sell	Ich verkaufe Kleider / Schuhe / Zeitungen usw.
would like to sell	Ich möchte gern Bonbons verkaufen.
work at cash desk	Ich arbeite an der Kasse (eines Supermarkts).
	Ich möchte gern an der Kasse arbeiten.
work as clerk	Ich arbeite als Angestellte(r).
	Ich möchte gern als Angestellte(r) arbeiten.
look after little children	Ich sorge für kleine Kinder.
	Ich möchte gern für kleine Kinder sorgen.
deliver papers	Ich liefere Zeitungen.
	Ich möchte gern Zeitungen liefern.
serve in restaurant	Ich serviere in einem Restaurant.
	Ich möchte gern in einem Restaurant servieren.
help old people	Ich helfe alten Menschen.
	Ich möchte gern alten Menschen helfen.

clean windows/cars	Ich putze Fenster/Autos.
	Ich möchte gern Fenster/Autos putzen.
work as pump-attendant	Ich arbeite als Tankwart/Tankwärtin.
	Ich möchte gern als Tankwart/Tankwärtin arbeiten.
do gardening in park	Ich mache Gartenarbeit im Park.
	Ich möchte gern Gartenarbeit im Park machen.

Hours at work

Ich arbeite 7 Stunden pro Tag. (7 hours per day)
von neun bis fünf. (from 9 to 5)

Wanting to change job

Ich will meine Stelle wechseln.

Having changed jobs

Ich habe meine Stelle gewechselt.
Hans hat seine Stelle gewechselt.
Anna hat ihre Stelle gewechselt.

How you would prefer to work

Ich möchte lieber als Lehrer(in) arbeiten.

Opinion of job

Ich finde meine Arbeit angenehm (pleasant) / leicht (easy).
Er findet seine Arbeit interessant (interesting) / schwer (difficult).
Sie findet ihre Arbeit schrecklich (awful) / langweilig (boring).

If you were rich / unemployed

Wenn ich reich wäre, würde ich ein grosses Haus kaufen.
würde ich in Amerika wohnen.
würde ich die ganze Welt durchreisen.
(travel the whole world)
Wenn ich arbeitslos wäre, würde ich ins Ausland fahren. (go abroad)
würde ich Arbeit anderswo suchen.
(look for work elsewhere)

Plans for the future

Your hopes and desires

Hoffentlich werde ich die Schule verlassen, um Arbeit zu suchen.
  (in order to seek work)

	eine Lehre machen.	(do apprenticeship)
	auf die Universität gehen.	(go to university)
Ich will	**Lehrling in einer Firma sein.**	(be apprenticed in a firm)
	als Krankenschwester arbeiten.	(work as a nurse)
	im Ausland wohnen / arbeiten.	(live / work abroad)

Your reasons

interested in the work	**Ich interessiere mich für die Arbeit.**
like working with others	**Ich arbeite gern mit anderen Menschen.**
like meeting people	**Ich lerne gern andere Menschen kennen.**
like travelling	**Ich reise gern.**
to improve German	**um mein Deutsch zu verbessern.**

Holidays

Desires and decisions

Ich will / wir wollen
  zu Hause bleiben.

ins Ausland	
nach Italien	
an die See	**fahren.**
auf das Land	
in die Berge	

  in der Schweiz zelten.
  eine Tour von Europa machen.
  einen Austausch mit meinem / -er
          Brieffreund / -in machen.

Ich habe	beschlossen	zu Hause *zu* bleiben.	
Wir haben		ins Ausland	
		nach Italien	
		an die See	*zu* fahren.
		auf das Land	
		in die Berge	
		in der Schweiz *zu* zelten.	
		eine Tour von Europa *zu* machen.	
		einen Austausch *zu* machen.	

In what type of accommodation you will stay

hotel		in einem Hotel	
boarding-house	Ich werde	in einer Pension	
campsite	Wir werden	auf einem Campingplatz	wohnen.
youth hostel		in einer Jugendherberge	

When and for how long you will stay

Ich werde für zwei Wochen im Juli da wohnen.
Wir werden für einen Monat im Sommer da wohnen.

Reasons for liking the accommodation

Ich wohne gern in einem Hotel,
   weil es bequem ist. (comfortable)
   weil ich kein Essen zu bereiten habe. (no food to prepare)
Ich zelte gern (I like camping),
   weil man frei sein kann.
   weil ich gern das Freie habe. (like the open air)
Ich übernachte gern in einer Jugendherberge, weil ich viele jungen
Leute kennenlerne. (übernachte – spend the night)

Reasons for disliking the accommodation

Ich wohne nicht gern in einem Hotel, weil es sehr teuer ist.
Ich zelte nicht gern, weil man das Essen bereiten muss.
                 weil man einkaufen muss. (do shopping)
Ich übernachte nicht gern in Jugendherbergen,
   weil man sein Bett machen muss.
   weil es nicht bequem ist.

TOPIC 10

Describing a holiday you have had

Where you went, and when

Ich bin letztes Jahr ins Ausland

Wir sind | im August in die Schweiz | gefahren.
letzten Sommer nach Südfrankreich |

Who you went with

Ich bin | allein dorthin
mit Freunden / meiner Familie | gefahren.
in einer Gruppe

Reasons for going where you did

Ich bin / Wir sind dahingefahren

holiday	um meinen / unseren Urlaub zu verbringen.
to stay with German family	um bei einer deutschen Familie zu wohnen.
to do sightseeing	um die Sehenswürdigkeiten zu sehen.
to do an exchange	um einen Austausch zu machen.
to stay on the beach in the sun	um auf dem Strand in der Sonne zu bleiben.

The accommodation you stayed in

Ich habe bei meinem / -er deutschen Brieffreund / -in gewohnt.
in einem Hotel / auf einem Campingplatz / in einer Jugendherberge

How you travelled

Ich bin / Wir sind mit dem Zug gefahren.
mit dem Wagen / dem Schiff / dem Flugzeug

Itinerary

Ich bin durch Dover und Ostende gefahren. (via Dover–Ostende)
auf der Autobahn bis Frankfurt gefahren. (as far as Frankfurt)

Length of visit
Ich bin eine Woche / einen Monat da geblieben.

What you did

outings	Ich habe / Wir haben einige Ausflüge gemacht.
walks	Ich habe einige Spaziergänge gemacht.
sightseeing	Ich habe Sehenswürdigkeiten gesehen.
visited Munich	Ich habe München besucht.
dined out	Ich habe in einem Restaurant gegessen.
bathed	Ich habe gebadet.
sunbathed	Ich habe in der Sonne gebadet.
met friends / relations of penfriend	Ich habe Freunde / Verwandte meines Brieffreundes kennengelernt. meiner Brieffreundin
went to party	Ich bin zu einer Party gegangen.

How you enjoyed yourself

well	Ich habe mich sehr amüsiert.
quite well	ganz gut
not very well	nicht sehr gut

What you liked most

Ich hatte am liebsten den Ausflug / das Hotel usw.
Ich habe am liebsten den Wein getrunken.
ich habe am liebsten den Fisch gegessen.

What you thought of various things

food – excellent / delicious	Ich habe das Essen vortrefflich / lecker gefunden.
hotel – comfortable / efficient	Ich habe das Hotel bequem / leistungsfähig gefunden.
town – pretty / dull	Ich habe die Stadt hübsch / langweilig gefunden.
the Germans – friendly / kind	Ich habe die Deutschen freundlich / gütig gefunden.

Wish to go back again

Ich möchte gern zurückfahren.

TOPIC 11

Home

Location of dwelling

Mein Haus / Meine Wohnung befindet sich

in	**in London.**
near	**in der Nähe von der Stadtmitte.**
distance from	**(etwa) zehn Kilometer von Bath.**
in a village	**in einem Dorf.**
in the suburbs	**am Stadtrand.**

Rooms   Es gibt sieben Zimmer.

die Küche		**modern.**
Das Esszimmer	**ist**	**schön.**
Das Wohnzimmer		**bequem.**
Mein Schlafzimmer		**schrecklich.**

Garden

In unserem Garten ist ein kleiner Rasen. (lawn)
Es gibt mehrere Pflanzen und Bäume. (several plants and trees)
Wir ziehen Gemüse und Obst. (We grow vegetables and fruit.)

How long you have been living there

Seit wann wohnen Sie in London?
Ich wohne seit fünf Jahren da.

Moving house

soon	**Wir werden bald umziehen.**
have moved	**Wir sind (letztes Jahr) umgezogen.**

Invite people home

sometimes	**Manchmal lade ich Freunde zu mir ein.**
never	**Ich lade nie Freunde zu mir ein.**

Allowed / forbidden to do something

allowed	**Ich darf meine Freunde zu mir einladen. / Ich darf zur Disko gehen.**
forbidden	**Ich darf nicht spät nach Hause zurückkommen.**

Your bedroom

Ich habe ein eignes Schlafzimmer. (I have my own bedroom.)
Ich teile ein Zimmer mit . . . (I share with . . .)
Ich mache meine Hausaufgaben dort. (I do my homework there.)
An der Wand habe ich Posters und Fotos. (On the wall I have posters and photos.)

What you keep in your room.　　**In meinem Zimmer habe ich Bücher.**
　meinen Plattenspieler (record-player)
　meinen Computer (computer)
　meinen Kassettenrecorder (cassette-recorder)

In der Ecke (in the corner) habe ich einen Kleiderschrank. (wardrobe)
　　　　　　　　　　　　　　einen Nachttisch. (bedside table)

Your feelings about your home

liking it　　Ich bewohne gern mein / unser Haus, weil es bequem ist.
　weil es in der Nähe von den Geschäften / von der See ist.
　weil es auf dem Lande ist.
　weil ich meine Freunde zu mir einladen kann.
　weil es einfach ist, in die Stadt zu gehen.

not liking it　　Ich bewohne mein / unser Haus nicht gern,
　weil es weit von der Stadt ist.
　weil es zu klein ist.
　weil ich nicht mein eignes Zimmer habe.

where you would prefer to live
　Ich möchte lieber in der Stadt / an der See wohnen.

TOPIC 12

Town and country

Description of town / village

| Meine Stadt
Mein Dorf | ist (ganz) | alt / modern / industriell / historisch.
schön / ruhig / malerisch. (picturesque) |

eine mittelgrosse Stadt (an average-sized town)

Es gibt immer viele Leute.   (There are always a lot of people.)
viel Verkehr   (a lot of traffic)
mehrere Fabriken   (several factories)
einige historische Gebäude   (a few historic buildings)
Die Stadt ist berühmt für ihre Sehenswürdigkeiten.
   (The town is famous for its sights.)

Population   Es gibt (etwa) fünfzigtausend Einwohner.

Distance from home

Die Stadt ist fünf Kilometer von meinem Haus.

Twin towns

Meine Heimatstadt und Bonn sind Partnerstädte.
Meine Heimatstadt ist mit Dortmund verschwistert.

Location of town / village

| Unsere Stadt
Unser Dorf | befindet sich | in Nordengland.
in Südschottland.
in Ostirland.
in Westwales.
an der See. (by the sea)
auf dem Lande. (in the country) |

north + country = **Nord-**	east + country = **Ost-**
south + country = **Süd-**	west + country = **West-**
mid + country = **Mittel-**	

Transport

| Die Züge
Die Busse | fahren häufig (frequent), | aber es ist teuer.
und es ist nicht teuer. |

Man kann einen Bus alle dreissig Minuten nehmen.
   (One can get a bus every 30 minutes.)
Es ist einfach mit dem Bus / mit der U-bahn in die Stadt zu fahren.
   (It is easy to go into town by bus / underground.)

Shopping

ein modernes Einkaufszentrum (modern shopping-centre)
ein vortrefflicher Markt (excellent market)
grosse Kaufhäuser (large department stores)
ein grosser Supermarkt (large supermarket)
viele kleinen Geschäfte (many small shops)

Man bezahlt mehr in den kleinen Geschäften als im Supermarkt.
  (You pay more in small shops than in the supermarket.)

Es ist gut für kleine Sachen. (It's good for small items.)

Entertainment and sport

entertainment **die Unterhaltung**
sport **der Sport**

Die Stadt bietet viele Reize an. (Town offers many attractions.)

Es gibt ein Kino, aber kein Theater.
  (There's a cinema, but no theatre.)

Die Disko ist sehr beliebt. (popular)

Man kann	in die Disko	gehen,	die	jeden Tag	geöffnet ist.
	zum Schwimmbad		das	dreimal in der Woche	
	zur Eisbahn		die	jeden Abend	

Die Jugendlichen können in den Jugendklub gehen.
  (Young people can go to the youth club.)

Für die jungen Menschen gibt es nicht viel zu tun.
  (For young people there's not much to do.)

Man kann	Fussball	am Sportplatz	spielen. (sports ground)
	Tennis	am Sportzentrum	spielen. (sports centre)
		auf dem See	segeln. (sail on lake)
		auf dem Lande	reiten. (ride in country)

Restaurants and cafés

gute Restaurants   kleine Cafés
beliebte Wirtshäuser (popular inns)

Es gibt Cafés, wo man preiswert / gut essen kann. (cheaply / well)

Viele Leute besuchen die Restaurants. Ich gehe manchmal mit meinen Freunden dahin.

Ich esse lieber in einem Café, wenn ich in der Stadt bin.
  (I prefer to eat)

Places of interest

Unsere Stadt Unsere Gegend (our region)	hat viele Sehenswürdigkeiten (sights) für die Touristen.

Man kann	den schönen alten Dom besuchen, der jeden Tag	geöffnet ist.
	das historische Schloss besuchen, das nachmittags	
	das alte Museum besuchen, das an den meisten Tagen	
	den berühmten Zoo besuchen, der den ganzen Tag	

Man kann auch die interessante Altstadt besichtigen. (look round the old town)

Your feelings about your town

Meine Heimatstadt gefällt mir sehr,
 weil sie viele Reize hat.
 weil es viel Unterhaltung gibt.
 weil sie sehr lebhaft ist. (lively)
 weil es viel für die jungen Leute gibt.

Meine Heimatstadt gefällt mir nicht,
 weil man nicht viel da machen kann.
 weil es immer viel Lärm gibt. (noise)

The country

Ich habe das Land lieber als die Stadt, weil es viel ruhiger ist.
(I prefer the country to the town because it is much quieter.)

Man kann Spaziergänge machen. (go for walks)
Man kann radfahren. (go cycling)
Man kann angeln. (go fishing)

Man kann	auf den Bergen in den Tälern in den Wäldern	wandern. One can hike	on the hills (mountains). in the valleys. in the woods (forests).

TOPIC 13

School

Location
Meine Schule befindet sich in der Stadtmitte / auf dem Lande.

How to get there   Ich gehe zu Fuss dorthin.
Ich fahre mit dem Bus / mit der U-bahn / mit dem Rad / mit dem Auto / mit dem Zug dorthin.

Type of school
eine gemischte Schule   (mixed school)
eine Gesamtschule   (comprehensive school)
ein Internat **(das)**   (boarding-school)

Uniform
Man trägt eine blaue / grüne / braune Uniform.
Die Uniform ist in unserer Schule obligatorisch.
Ich glaube, die Uniform sollte obligatorisch sein.
   (I think uniform should be compulsory.)

Size of school
Es gibt etwa tausend Schüler und Schülerinnen. (about 1,000 pupils)

Buildings
Die Schulgebäude sind modern / hoch / alt. (modern / high / old)
Die Schulzimmer sind riesig / trüb / dunkel. (huge / dismal / dark)

School hours
Die Schule fängt um viertel vor neun an, und endet um vier Uhr.
Die Pause dauert zwanzig Minuten. (Break lasts 20 minutes.)

Number and length of lessons
Wir haben sieben Stunden pro Tag. (We have seven lessons a day.)
Die Schulstunden dauern vierzig Minuten. (Lessons last 40 minutes.)

Lunch   Ich habe Mittagessen um eins in der Kantine / zu Hause.

Subjects you are taking
Ich lerne | Englisch, Spanisch, Französisch, Deutsch, Geschichte, Geographie (or Erdkunde), Chemie, Physik, Biologie, Kunst (art), Musik, Mathematik, Informatik (computer studies), Technologie.

How long you have been learning German
Ich lerne Deutsch seit fünf Jahren.

Good / poor at a subject
Ich bin gut im Französisch. Helga ist schlecht in der Biologie.
(See 'Subjects you are taking' above. Use **im** for the languages; **in der** for the rest.)

Opinion of subjects
Ich finde Geschichte einfach (easy) / interessant (interesting / schwer (hard) / langweilig (boring).

like	Ich lerne gern Mathematik.
prefer	Ich lerne lieber Englisch.
like most	Ich lerne am liebsten Technologie.

Exams you are taking
Ich mache meine Prüfungen im Mai und im Juni.

Getting on with classmates
Ich verstehe mich mit meinen Schulkamaraden.

Outside activities
Man organisiert Klubs   Besuche (visits)
                         Fussball- und Tennisspiele (matches)
Austäusche (exchanges) mit einer deutschen Schule.

When term ends   Das Trimester endet am zwanzigsten Juli.

In Topics 14 to 17, activities and events are in the past, to help you relate some of the more likely incidents you might have been involved in.

TOPIC 14

A journey and visit

Decision

Ich habe beschlossen, Ich beschloss,	für den Tag nach München zu fahren.
Wir haben beschlossen, Wir beschlossen,	für einige Tage dahinzufahren. (to go there)

When – with whom?

Ich bin letztes Jahr mit meiner Familie dahingefahren.
Wir sind vor zwei Jahren mit meinem Onkel dahingefahren.

Purpose

holiday	um unseren / meinen / Urlaub zu verbringen
sightseeing	um auf Besichtigungstour zu gehen
birthday	um meinen Geburtstag zu feiern
visit friends	um Freunde zu besuchen
meet relatives	um Verwandte zu treffen

Weather

sunny	Die Sonne schien.		fine	Das Wetter war schön.
windy	Es war windig.		warm	Es war warm.
rain	Es regnete.		cold	Es war kalt.
fog	Es war neblig.			

Time of departure

Ich bin / Wir sind um neun Uhr vormittags abgefahren.

Journey time

Die Reise dauerte drei Stunden.

Distance

München war etwa dreihundert Kilometer entfernt.
Wir sind dreihundert Kilometer gefahren.

Activities on journey

Ich habe ein Buch / eine Zeitschrift gelesen. (read book / magazine)
Ich habe mit einem (anderen) Reisenden geplaudert.
    (chatted to traveller)
Wir haben Karten gespielt. (played cards)
Wir haben zu Mittag gegessen (Wir hatten Mittagessen).
    (had lunch)
Wir haben ein Picknick gemacht. (had picnic)

Countryside

Die Landschaft war schön / langweilig. (countryside beautiful / dull)
Wir fuhren an Wäldern und Seen vorbei.
    (We passed forests and lakes.)
Wir fuhren durch industrielle Städte. (went through industrial towns)

Stopped on way

Wir haben unterwegs angehalten, um zu essen.
                            um ein Picknick zu machen.

Traffic

Es gab viel Verkehr auf den Strassen. (There was much traffic.)
Es gab wenig Verkehr auf der Autobahn. (little traffic on motorway)

Breakdown

car didn't start	Der Wagen ist nicht angesprungen.
car broke down	Der Wagen hatte eine Panne.
puncture	Der Wagen hatte eine Reifenpanne.
had to phone	Wir mussten einer Autowerkstatt telephonieren.
had to wait a long time	Wir mussten lange warten.
had to leave car	Wir mussten den Wagen in der Werkstatt lassen.

Accidents (See Setting 4)

had accident	Ich hatte / Wir hatten einen Unfall.
saw accident	Ich sah / Wir sahen einen Unfall (or Ich habe . . . gesehen).
2 injured	Zwei Menschen wurden verletzt.
no-one injured	Niemand wurde verletzt.
phoned police	Ich rief die Polizei an (or Ich habe . . . angerufen).
sent for ambulance	Ich schickte nach einem Krankenwagen (or Ich habe . . . geschickt).

Activities during visit

Wir besichtigten die Stadt (or Wir haben besichtigt).
(We went round the town.)

Wir hatten eine Mahlzeit in einem schönen Restaurant. (had meal)

Inge und Mark besuchten das alte Schloss (or . . . haben . . . besucht).

Mutti ging in den Dom / ins Museum (or . . . ist . . . gegangen).

Wir verbrachten ein bisschen Zeit bei Freunden / Verwandten
(or . . . haben . . . verbracht).
(We spent a little time with friends / relations.)

Length of stay

Ich bin / Wir sind eine Woche da geblieben.

Return home

Ich bin / Wir sind um neun Uhr zu Hause angekommen.

TOPIC 15

A shopping trip

Purpose

Ich ging in die Stadt, um Einkäufe zu machen. (to do shopping)
um Weihnachtsgeschenke zu kaufen.
(to buy Christmas presents)
Ich ging in ein Geschäft, um einen Pullover zu kaufen.

Wanted to buy   Ich wollte eine Handtasche kaufen, aber . . .

No more left   Es gab keine mehr.

Dear / cheap   Das Geschenk war teuer / billig.

Insufficient money

Ich hatte nicht genug Geld. Ich musste etwas Geld leihen. (borrow)

Lost purse / wallet

Ich verlor mein Portemonnaie / meine Brieftasche
(or Ich habe . . . verloren).

Difficulties because of crowds

Es war schwer einzukaufen, weil es so viele Leute gab.

TOPIC 16

Invitations

Inviting and being invited

Ich habe Freunde / Freundinnen nach Hause eingeladen.
Paul hat mich zu seiner Party eingeladen.
Man hat uns zu einer Hochzeit eingeladen.
(We were asked to a wedding.)
Er bat mich, mit ihm tanzen zu gehen. (He asked me.)

Gift

Ich schenkte meiner Freundin eine Kassette
(or Ich habe . . . geschenkt).
Ich schenkte ihm / ihr eine Kaffeekanne.

Guests

Viele Gäste waren an der Party.
Nicht viele Gäste kamen zum Empfang (reception)
  (or sind . . . gekommen).

What you did

danced	wir tanzten (haben . . . getanzt)
ate well	wir haben gut gegessen
chatted	wir plauderten (haben . . . geplaudert)
drank wine	wir haben Wein getrunken
listened to music	wir hörten Musik (haben . . . gehört)

Whom you met

Ich habe einen Jungen kennengelernt, der Peter hiess.
Ich habe ein Mädchen kennengelernt, das Paula hiess.

Opinion

Es war eine ausgezeichnete Party. (excellent)
Ich freute mich über den Tanzabend. (I enjoyed the dance.)
Alle freuten sich darüber. (Everyone enjoyed it.)
Ich war ein bisschen enttäuscht. (a little disappointed)

TOPIC 17

Entertaining a guest

Invitation to stay

Ich lud eine Freundin auf einige Tage ein
  (or Ich habe . . . eingeladen).

Took friend where?

Ich brachte meine Freundin zu einigen Vergnügungsstätten
  (or Ich habe . . . gebracht). (places of amusement)

What you did

Wir machten Ausflüge in der Gegend (or haben . . . gemacht).
  (outings in the region)
Wir schwammen im Schwimmbad (or sind . . . geschwommen)
Wir spielten Golf (or haben . . . gespielt).
Wir gingen tanzen.

Introductions

Ich stellte ihn / sie   **meinem Vetter vor**
   (accusative)   (dative)
   (or Ich habe . . . vorgestellt).

What guest liked most

Die Ausflüge gefielen ihm / ihr (dative) am meisten
   (or haben . . . gefallen).

Return home

Er / Sie fuhr am Wochenende nach Hause zurück
   (or ist . . . zurückgefahren).

A few comparisons: Germany and England

Shops and banks

Die Geschäfte sind normalerweise von neun bis sechs oder halb sieben geöffnet, aber nicht samstags, wenn sie um Mittag oder zwei Uhr schliessen. Die Banken sind von Montag bis Freitag morgens und nachmittags geöffnet, aber nicht zwischen zwölf und zwei.

Meals

Man frühstückt und isst gegen eins zu Mittag, wie in England. Aber normalerweise hat die Familie Abendessen später als in England, oft gegen neun Uhr. Man isst oft kaltes Fleisch, Wurst, Schinken, Käse usw.

Education

Die Schule beginnt um acht Uhr und endet gegen halb zwei. Dann gehen die Kinder nach Hause zurück. Sie haben viele Hausaufgaben, die sie am Nachmittag machen können. Sie gehen auch samstags in die Schule.

Die meisten Schüler und Schülerinnen bleiben an der Schule, bis sie achtzehn oder neunzehn Jahre alt sind. Viele von ihnen gehen auf die Universität.

Sie müssen Englisch in der Schule lernen. Viele Deutschen sprechen sehr gut Englisch, und vielen junge Leute wollen nach England kommen, um ihr Englisch zu üben.

Reductions for students

Studenten können zu ermässigtem Preis ins Theater oder in ein Museum gehen. Sie können auch billig mit dem Zug fahren, bis sie sechsundzwanzig Jahre alt sind.

Attractive geographical areas

Der Rhein zwischen Koblenz und Wiesbaden ist besonders schön. Es gibt steile Berge und alte Schlösser. Bayern ist auch sehr schön. Das Land ist bergig und es gibt mehrere alte Städte und malerische Dörfer. Man sollte auch den Schwarzwald im Südwesten besuchen.